TOM NEFYN
PORTREAD

TOM NEFYN
PORTREAD

HARRI PARRI

Golygydd y lluniau:
ROBIN GRIFFITH

GWASG PANTYCELYN

Dymuna'r cyhoeddwyr
gydnabod cymorth
Adrannau Cyngor Llyfrau
Cymru.

ISBN 1 874786 89 5

Cyhoeddwyd ac argraffwyd gan
Wasg Pantycelyn, Caernarfon.

CYNNWYS

CYDNABOD

O gofio'i fod o'n gerddwr o argyhoeddiad ac yn feiciwr wrth raid, mae hi'n syndod meddwl mai mewn *Mondeo* Tyrbo Diesel ar yr A487 y gwawriodd y syniad o ysgrifennu portread o Tom Nefyn. Sôn roeddwn i wrth fy nghyd-deithiwr, Maldwyn Thomas – Swyddog Cyhoeddi Gwasg Pantycelyn – fel roedd ysbryd 'gwahanol' Tom Nefyn wedi fy nghyfareddu gydol y blynyddoedd ac uwchben paned a *gateau* mewn caffi, sydd bellach wedi cau'i ddrysau, fe gytunais i fentro ar y dasg. Yn naturiol, fe bwysais i gryn dipyn ar atgofion Tom Nefyn ei hun yn ei gyfrol, *Yr Ymchwil*, gyhoeddwyd yn 1949, yn ogystal â'r gyfrol goffa, *Tom Nefyn*, olygwyd gan William Morris ac a gyhoeddwyd yn 1962. Ond fe hoffwn ddiolch yn arbennig iawn i un o'i feibion, Nefyn Goronwy, am fod mor barod i sgwrsio hefo mi am ei rieni a rhoi benthyg lluniau prin a gwerthfawr oherwydd, heb yr help hwnnw, byddai'r gyfrol yn llawer tlotach.

O'r dechrau un, roedd hi'n fwriad i gynnwys casgliad o luniau i gydfynd â'r testun a chytunodd Robin Griffith, Caerdydd – un o 'hogiau Edern', edmygwr o Tom Nefyn a thynnwr lluniau'r *Cymro*, unwaith – i ymgymeryd â'r dasg a golygu'r gwaith yn gyffredinol. Gwnaeth lawer mwy na hynny: ymddiddorodd yn y gwaith gan fod yn gyfrifol am ran o'r ymchwil. Bu'n bleser cael cydweithio.

Diolch am y lluniau fenthyciwyd a'r llythyrau a dderbyniais – gan gynnwys rhai nas defnyddiwyd – ac i gyfeillion fu mor barod i rannu rhai o'u hatgofion am Tom Nefyn. Fe geisiais gydnabod hynny yng nghorff y llyfr ond roedd gan rai wybodaethau arbennig a gwahanol i'w rhannu ac fe hoffwn gyfeirio at y bobl hynny: Gwilym Evans, Pwllheli, a droes ei atgofion yn fap o dref Nefyn ar ddechrau'r ganrif; dau weinidog, Ieuan Davies a'r diweddar Tudor Lloyd Jones, a'm tywysodd drwy'r Tymbl i gyfarfod pobl mor ddiddorol eu hatgofion ag Elsie Roberts, Margaret Ann Morgan a Bob Jones – tri roddodd gymaint o'u hamser i Robin a minnau; Wilma Williams a Mona a Harri Davies o'r Tymbl; Gwilym Bellis a Ron Parry oedd ag atgofion a gwybodaeth am ddyddiau Tom Nefyn ar rostir Rhosesmor; Alun Ogwen Jones am fy nghyfeirio at sawl stori a llun o'i ddyddiau ym Methesda ac i W. T. Watkin Jones ac Iona Roberts (haneswraig Edern a'r fro) oedd yn ei adnabod mor dda ac yn gwybod cymaint am ei flynyddoedd olaf ar benrhyn Llŷn.

Ceisiwyd cydnabod pob hawlfraint cyn belled ag roedd hynny'n bosibl. Cafwyd caniatâd parod Gwasg Gee, Gwasg Gwynedd a Gwasg Pantycelyn i ddyfynnu o lyfrau a gyhoeddwyd ganddynt a chaniatâd y Parchn Ann Jenkins, Iorwerth Jones Owen a Robin Williams i ddyfynnu o'r anerchiadau draddodwyd ganddynt yng Nghyfarfod Dathlu Canmlwyddiant Geni Tom Nefyn gynhaliwyd yn Edern yn 1995. Manteisiais ar garedigrwydd a chyfleusterau Llyfrgell Genedlaethol Cymru, Archifdy Prifysgol Cymru Bangor ac Archifdy Gwynedd wrth olrhain y stori mewn papur newydd a chylchgrawn, dogfennau a llythyrau.

Fe hoffwn ddiolch i June Jones, Rheolwraig Gwasg Pantycelyn, am ei chefnogaeth a'i hymddiriedaeth, i Malcolm Lewis, un o'r gweithwyr, am ddylunio peth o'r gwaith yn ogystal â throsi'r ddisg i fod yn gyfrol ac i Maldwyn, nid yn unig am hau'r had ond am gyfarwyddo'r gwaith yn ogystal. Fy niolch hefyd i Llinos Lloyd Jones a W. Gwyn Lewis am ddarllen y gyfrol, a chywiro, ac i Emlyn Richards am fwrw golwg dros y gwaith ac ysgrifennu'r broliant. Bu Cyngor Llyfrau Cymru yn gefnogol i'r syniad o'r dechrau gan roi cyfarwyddyd a chymorth ariannol.

Roedd yna fwy nag un Tom Nefyn: y gweinidog gwahanol a'r bugail i bawb, saer y geiriau cwbl annisgwyl, yr enigma a'r rebel, y gŵr o ddaioni mawr ac un rhyfeddol o hunanaberthol a'r olaf un hwyrach o sêr y pulpud a fedrai droi pregeth yn ffilm. O blith gweinidogion canol yr ugeinfed ganrif – ac roedd rheini yn ddwsin am ddimai yn y blynyddoedd hynny – fo oedd yr enw mwyaf adnabyddus o bob un i bobl y priffyrdd a'r caeau a'r mwyaf derbyniol. Fe darodd un o'm rhagflaenwyr i yma yng Nghaernarfon, William Morris, ar un cwpled cofiadwy sy'n rhoi holl alwyni'r gyfrol i gyd ar flaen llwy:

> Ac o'i bregethau i gyd
> Y fwyaf oedd ei fywyd.

HARRI PARRI

TOM NEFYN

Tom Nefyn oedd un o'r ychydig bobl fyddai'n rhannu 'nhad a mam pan alwai acw i gael tamaid o swper: i mam – serch ei pharch mawr tuag ato – 'perth yn llosgi' oedd o, i ddynesu ato gyda swildod ac i daflu brechdan ar ei blât o hirbell diogel pen arall y bwrdd; roedd fy nhad, ar y llaw arall, yn cynhesu'n rhyfeddol yn ei gwmni ac yn dal ar bob gair ddôi allan o'i enau. 'Gruffydd! 'Ti'n cofio ni'n morio yn yr hen hocsiad honno ar y llyn hwyad yn Nghadlan Isa', 'stalwm . . . ?' 'Dyna hi wedyn, y llon a'r eithriadol ddwys am gryn ddwyawr.

Fel yr awgrymwyd, roedd yna fwy nag un Tom Nefyn. O leiaf, roedd o'n ddigon amlochrog ei ddoniau i bobl ei weld o mewn goleuni gwahanol ac, o'r herwydd, i amrywio'n eithafol yn eu barn amdano. Eto, pan gynhaliwyd cyfarfod i ddathlu canmlwyddiant ei eni – bron ddeugain mlynedd wedi'i farwolaeth – fe lanwodd Tom Nefyn gapel enfawr Edern, unwaith yn rhagor, ac fe dreuliwyd cryn ddwy awr ddiddorol yn sôn am ryferthwy ei fyw. Fel 'dyn hynod iawn, iawn' a 'chymhleth iawn, iawn,' y disgrifiwyd o gan Robin Williams y noson honno, 'ond athrylith lachar a'r enaid mwyaf, mae'n debyg, gododd Pen Llŷn fawr 'rioed.'

O ran corff roedd o'n rhyfeddol o gymesur – 'pum troedfedd, wyth modfedd' o daldra, yn ôl Nefyn, un o'r meibion – ac yn ymddangos mor ystwyth â walbon. Fel y brawd llwyd ei wedd a'i wisg rydw' i ac eraill yn ei gofio fo, o leiaf ar y Suliau: siwt lwyd a thei lwyd i gydweddu, a chrys claerwyn. Yna, pâr o sgidiau cryfion, 'fydda'n dal dŵr yn nydd y farn' (a defnyddio un o'i ymadroddion o). Mae'n rhaid ei fod o'n gredwr mewn plastig. Pan oedd crys a choler yn bethau ar wahân roedd coleri plastig ar gael, ac mi rydw' i'n cofio un felly gan Tom Nefyn – a'r gôt law blastig honno oedd yn gymaint iwnifform i weinidogion y pumdegau, yn arbennig mewn angladdau. Mae llun ei briodas yn 1925 yn profi'i fod o wedi gwisgo coler gron, o leiaf ar un achlysur, ac roedd o ar ddechrau'i fugeiliaeth, yn ôl lluniau papur newydd, yn gwisgo'n barchus dywyll fel gweinidogion eraill y cyfnod.

Dros y blynyddoedd, fe gyfeiriodd sawl un at harddwch ei wyneb – a'r wên na phyla amser – ac at y gwallt sidanaidd, gwyn, ond fe ddwedwn i mai'r llygaid oedd y wyrth. I bregethwr, fel i actor, sydd am gyfathrebu â'i gynulleidfa mae llygaid mor hanfodol bwysig â'r llais: llygaid y gall gwrandawr neu wyliwr, mewn theatr neu gapel, eu darllen a'u clywed yn ogystal â'u gweld, a hynny bellter i ffwrdd. Ar brydiau, roedd o'n medru'u cau nhw'n ogystal, am amser hir, ond roedd hynny hefyd i bwrpas. Fe gafodd sawl un achlysur i gofio'i ysgydwad llaw o, nid yn unig am ei fod o'n gwneud hynny gyda'r brwdfrydedd mwyaf gan gwpanu'i law chwith ambell dro dros y llaw arall, ond am fod ganddo afaeliad fel feis a'i fod o'n gwasgu'n anghyffyrddus o dynn.

Fe adawodd mwd a gwaed y Rhyfel Byd Cyntaf graith oes ar fywyd Tom Nefyn. Yn gynnar yn 1915, yn hogyn ifanc prin ugain oed, fe'i hanfonwyd i'r Dardanelles. Yn ei hunangofiant, 300 tudalen – *Yr Ymchwil* – mae o'n disgrifio'i fedydd tân: neidio oddi ar gang–planc llong i'r dŵr bas ym Mae Suvla, yna rhuglo'i ffordd drwy dywod llac, gwlyb, a chripian i fyny'r llethrau serth, llithrig, a bomiau'n dawnsio'n feddw o gwmpas ei draed, a'i gyd–filwyr o'n cael eu medi fesul un ac un. Ac nid Thomas Williams – fel y'i gelwid ar y pryd – 'un ymhlith llawer', ddychwelodd i'r Pistyll ym mis Mawrth 1919 ond gŵr ifanc, pedair ar hugain oed, oedd – nid yn unig wedi'i ysgwyd i'r byw gan yr hyn welodd ac a ddioddefodd, ond un gafodd brofiadau ysbrydol tu hwnt i'r cyffredin a'r rheini wedi rhoi sglein arbennig ar ei bersonoliaeth.

Ond helynt y Tymbl, yn y dauddegau, ddaeth â Tom Nefyn i sylw gwlad gan rannu crefyddwyr, ac eraill, i ddwy garfan benboeth. (Fe fu Bob Owen, Croesor a Charneddog – ei gydymaith llengar – heb dorri gair â'i gilydd ar gorn yr helynt hwnnw am flwyddyn gron.) Nid bob dydd y bydd yr Hen Gorff yn gwahardd un o'i gweinidogion rhag pregethu ym mhulpudau'r Cyfundeb ac nid pob henaduriaeth – o'u cymharu â Henaduriaeth De Myrddin yn 1928 – aeth mor bell â chadwyno'r giatiau rhag i aelodau ymgynnull i addoli!

Fe rannwyd pobl y Tymbl yn ogystal – hyd heddiw. Pan es i i lawr i Gwm Gwendraeth yn niwedd 1997 a dechrau 1998 i chwilio'r hanes roeddwn i'n gobeithio cyfarfod â chrefyddwyr canol oed fyddai'n cofio enw Tom Nefyn – ond dim llawer mwy na hynny. Wedi cyrraedd y pentref, a holi hwn ac arall, fe gwrddais â hynafgwyr sy'n dal i dwymo iddi wrth ail–fyw hanes yr hyn ddigwyddodd dros drigain mlynedd yn ôl. Mae yna bentrefwyr o hyd yn y Tymbl na fydd byth yn enwi Tom Nefyn ar sgwrs rhag ofn i'r hen rwygiadau ddod i'r golwg unwaith yn rhagor ac i'r briwiau sydd heb lwyr gau ailddechrau rhedeg. Ond fe wnaeth o fwy na hynny.

'Doedd cartref Tom Nefyn yn Llŷn, Bodeilias, ddim yn balas o bell ffordd ond roedd cyflwr tai Stryd Fawr y Tymbl yn 1925 yn ddolur llygaid iddo ac yn friw i'w galon – coed y ffenestri wedi warpio neu bydru, cordiau'r ffenestri wedi torri a'r ffenestri'n gwrthod agor, papur wal yn plicio oddi ar y mur llaith, landeri'n hongian, drws y cwt glo yn swingio ar un hinj a'r tŷ bach deudwll yng ngwaelod yr ardd heb gefn ac yn weladwy i'r cyhoedd. Fe aeth Tom Nefyn i bob tŷ a gardd a chloset a gwneud nodiadau am eu cyflwr ac yna anfon adroddiad i'r awdurdodau. 'Doedd gweinidog yn treulio amser yn archwilio closeti ddim yn dderbyniol i bawb yn y Tymbl ond nid hynny aeth ag o i ddŵr poeth – i ddŵr chwilboeth a dweud y gwir.

Yn 1925 roedd syniadau Tom Nefyn am fywyd eglwys yn sicr o fod yn ddeinameit. Fe dybiwn i y byddai rhai ohonyn nhw yn annerbyniol o newydd heddiw. Tra roedd 'Lewis Tymbl' – un o weinogion enwog yr Annibynwyr yn y pentref – yn fodlon ar y frechdan emynau arferol – emyn, darllen, emyn, gweddi – fel cyfrwng i dwymo'i gynulleidfa at y bregeth 'fawr', fe benderfynodd Tom Nefyn roi pryd mwy mentrus i'w bobl drwy gael 'eitem ar y delyn', canu unawd i gyfeiliant ei gonsertina ynghanol y bregeth, a chyfle ar ddiwedd yr oedfa i 'holi'r pregethwr'. Ambell nos Sul roedd Ebeneser, y Tymbl, yn rhy fach i ddal y gynulleidfa a Thom Nefyn a'r addolwyr yn gorfod gadael yr adeilad a chodi stondin ar gae rygbi'r pentref. Ond pan aeth Tom Nefyn ati hi i wadu'r athrawiaethau traddodiadol – megis yr Ymgnawdoliad, Atgyfodiad Crist a'r gred mewn bywyd tragwyddol – fe dynnodd o'r tŷ am ei ben a chychwyn beth alwodd y *Western Mail* yn ddiweddarach, gyda gormodiaith arferol papurau newydd, yn *Welsh Heresy Hunt* ar ran yr Hen Gorff,

Ond fe ddisgynnodd yna fomsiel arall ar y Tymbl, ddwy flynedd yn ddiweddarach, pan gafodd Tom Nefyn dröedigaeth at yn ôl gan gefnu ar y dilynwyr oedd wedi cerdded ar ei ôl o i dir neb ac aberthu i godi addoldy gwahanol o'r enw Llain-y-Delyn, yn ôl ei gyfarwyddyd. Mae'r cweryl hwnnw, a rwygodd deuluoedd cyfan ar y pryd, yn dal i ffrwtian yn y Tymbl – yn arbennig felly ymhlith yr ychydig rai sy'n cofio'r chwerwder mawr oedd yn bod ar y pryd.

Tom Nefyn oedd yr unig bregethwr fyddai'n chwyddo'r gynulleidfa ar Sul cyffredin yn Smyrna, Llangian, y capel lle ce's i fy magu. 'Blaswyr pregethau' oedd yr ymwelwyr yn bennaf, wedi dod yno o gapeli eraill, ond nid pob un. Mi rydw' i'n cofio tafarnwr pentref cyfagos, porthiannus yr olwg, a'i wraig – pobl na fyddai'n mynychu'n arferol – yn llenwi un o'r seddau mwyaf dewisol ac yn mynd ymlaen ar y diwedd i'w longyfarch o ar ei weinidogaeth wahanol.

Hwyrach ei fod o'r olaf o'r pregethwyr dramatig, yn cyfarch ei wrandawyr yn unigol ond byth yn disgyn i'r arfer o'u galw nhw wrth eu henwau. 'Dw i'n cofio gwraig ifanc yn cael ei dal gan ei gyfaredd nes ei bod wedi mynd i gredu mai dim ond nhw'u dau oedd yn bresennol. 'Ffrind, clyw!' bloeddiodd y pregethwr. 'Faint ydi dy oed ti?' 'Trideg dau', meddai hithau, dros y capel, ac yna'n swilio'n syth am iddi ddatgelu cyfrinach i lond capel o wrandawyr busneslyd.

Ond roedd Tom Nefyn yn 'efengylydd' yn ogystal â bod yn bregethwr a bugail eglwys ac ar gorn hynny, yn fy marn i, y daeth o gyda'r mwyaf adnabyddus o weinidogion ei gyfnod. (Wedi'r cwbl, nid yn aml bydd y *Manchester Guardian* yn neilltuo tudalen flaen i adrodd stori gweinidog – oni bai bod hwnnw, neu honno bellach, wedi mynd i'r 'wlad bell' – ond fe ddigwyddodd hynny yn hanes Tom Nefyn yn Awst 1928.) Yn naturiol, roedd ffair gyda'i thyrfa barod yn faes hwylus iddo i efengylu ond fe fyddai ciw o bobl yn disgwyl trên neu fŷs yn ddigon o gynulleidfa iddo fo ddechrau pregethu iddyn nhw, ac fe allai Tom Nefyn gynnal deialog gyhoeddus gyda rhai o'i heclwyr a'u siocio nhw gyda'i atebion bachog gystal bob blewyn â Donald Soper ar *Tower Hill*.

Fel gweinidog eglwys – dyna fu'i ffon fara gydol ei oes, bron – roedd o'n ystyried ei hun yn fugail i bawb, yn croesi pob math o ffiniau ac yn anwybyddu pob confensiwn – yn arbennig felly yn ei flynyddoedd cynnar. Wedi i ddŵr trigain mlynedd lifo o dan y bont maen nhw'n dal i sôn am rai o'r ail filltiroedd gerddodd o. Un stori sydd wedi goroesi yng nghylch Rhosesmor, lle bu'n weinidog, ydi honno amdano fo'n cludo rhyw glaf, tlawd ei fyd (er nad oes neb, hyd y gwn i, yn gwybod pwy oedd y truan hwnnw) ar asgwrn cefn ei feic o Rosesmor i Gaer er mwyn i hwnnw weld arbenigwr. Mae hi'n fwy na thebygol y byddai rhywun arall o'r fro wedi medru cludo'r claf, a hynny hwyrach yn fwy cyffordus, ond nid gŵr i ymgynghori â chig a gwaed oedd Tom Nefyn. Nid dyna'i reddf . Roedd beicio cyn belled â Chaer a chlaf ar asgwrn cefn y beic mor gwbl nodweddiadol ohono fo, a chwedlau am ysbryd hunanaberthol o'r fath sydd wedi goroesi yn yr ardaloedd lle bu'n bugeilio. Ac nid pob gweinidog, o bell ffordd, fyddai'n meddwl anfon gair o gydymdeimlad ag aelod wedi iddo golli buwch!

Mae yna bobl yn Edern, fel o bosibl yn y mannau eraill lle bu'n bugeilio, sy'n mynnu sôn am y traed o glai oedd iddo. Er enghraifft, 'doedd ganddo ddim i'w ddweud wrth arian. Yn od iawn, wrth chwilio'i hanes, fe'i clywais yn cael ei feirniadu'n fwy oherwydd ei agwedd hunanaberthol at arian na dim arall gan honni iddo esgeuluso aelodau'i deulu a gwthio tlodi arnyn nhw heb iddyn nhw gael y dewis. Ond pobl y goets fawr oedd yn dweud hynny – nid teulu a chyfeillion agos Tom Nefyn! Mewn pethau a ystyriai yn 'fân lwch y cloriannau' gallai ddangos diniweidrwydd braf, yn fyddar i arfer a chonfensiwn, i gynsail a rheolau, eto roedd o'n ŵr eithriadol graff, yn deall y natur ddynol i drwch y blewyn ac yn medru arllwys olew a gwin i'r briwiau.

'Doedd pob act o'i eiddo, bob amser, ddim yn hawdd i'w deall na'i chysoni: ar un wedd roedd o'n caru bod o'r neilltu, yn ŵr swil ar lawer cyfri, ond eto'n amlwg iawn ymhob cynulleidfa ac wrth reddf yn arweinydd. Wedi'r Ail Ryfel Byd, un o ddigwyddiadau mawr y flwyddyn ym Mhwllheli, bob mis Mai, oedd Sasiwn y Plant gyda gorymdaith drwy strydoedd y dref. Yn nes ymlaen, yng nghapel Penmount, fe gynhelid dau gyfarfod i wobrwyo buddugwyr yr arholiadau Ysgrythurol. Braint rhai gweinidogion oedd cael eistedd yn y sêt fawr yn ganolbwynt y gweithgareddau – ond nid Tom Nefyn! Mi rydw' i'n cofio mai cwestiwn pobl i'w gilydd wedi iddyn nhw gyrraedd eu seddau fyddai: 'Ydi Tom Nefyn yma?' Fe fyddai o yno – ym mhen pellaf y galeri, hwyrach – ond cyn y diwedd fe fyddai'n sicr o dorri allan i ganu, ac am Tom Nefyn a'i ganu y byddai'r siarad wedi'r Sasiwn.

Bu Tom Nefyn farw'r un mor ddramatig ag y buo fo byw, a hynny ar nos Sul 23 Tachwedd 1958. Awr ynghynt, roedd o'n arwain addoliad ac yn pregethu yng nghapel Rhydyclafdy, yng nghanol gwlad Llŷn. Ar derfyn oedfa, cyn seiclo'n ôl i'w gartref yn Edern, roedd o wedi derbyn gwahoddiad un o'r blaenoriaid i fynd gydag o i'w gartref am swper; yn y tŷ hwnnw, wrth y bwrdd swper, y buo fo farw. Roedd yr hygoelus, ar y pryd, yn mynnu fod yna fwy o ddrama na hynny yn ei farwolaeth annisgwyl. Roedd o, medda' nhw, wedi gwneud arwydd y groes hefo'i gyllell a fforc cyn gorffwyso'i ben hardd ar liain gwyn y bwrdd swper a'i fod wedi marw

1. Tom Nefyn yng Nghae Glas, Edern – cartref Robin Griffith – yn 1953.

yn ystum gweddi, ond lluchio paent dros y canfas oedd dweud pethau felly ac arfer gormodiaith.

Pan fydd gweinidog farw, nodyn digon tlawd yn y papur lleol geir fel rheol, a choffâd llaesach yn y papur enwadol yn nes ymlaen, ond gyda Tom Nefyn roedd y stori yn un wahanol. Roedd papurau cenedlaethol yn nodi'r digwyddiad ac yn nes ymlaen fe neilltuodd wythnosolion fel *Y Faner* a'r *Cymro*, heb sôn am bapurau enwadol, ofod mawr i'r digwyddiad a rhai ohonyn nhw'n cyhoeddi rhifynnau arbennig i'w goffáu.

Fe haerwyd mai angladd Tom Nefyn, y pnawn Mercher canlynol, oedd y mwyaf a welodd Pen Llŷn erioed; rhwng dwy a thair mil yno yn ôl y papurau newydd, ond gorgyfri mae'n siwr oedd dweud peth felly. Chwedl Gohebydd yr *Herald Cymraeg*: 'Daethant o bob rhan o Gymru, yn weinidogion ac offeiriaid, arweinwyr cymdeithasol, nyrsus o ysbytai Pwllheli, Caernarfon a Bangor, meddygon a ffermwyr, efrydwyr a phlant ysgol. Gwelwyd bwsiau o'r Tymbl, Llanelli; o Langeitho ac o Fethesda, ac roedd heddlu ychwanegol yn gofalu am y gorlif o dros 400 o foduron a ddaeth i'r fro . . .'

Yn union wedi'i farwolaeth, roedd golygyddol un papur newydd o'r farn y byddai'r oesoedd canol wedi gwneud sant ohono, a sefydlu urdd yn dwyn ei enw, a newyddiadurwr mewn papur arall yn honni fod Hollywood wedi colli athrylith. Mae hi'n bosibl bod y ddau beth o fewn ei gyrraedd, petai o wedi dewis dawnsio i 'lais' gwahanol.

1. JOHN AC ANN

Heb amheuaeth roedd tad Tom Nefyn, John Thomas Williams, yn ŵr o athrylith. Fel 'J.T.W.' y byddai'r wasg yn cyfeirio ato a chyhoeddodd ugeiniau lawer o gerddi yn yr *Herald* a'r *Dinesydd*. Un o ardal Rhoshirwaen, ym mhen draw Llŷn, oedd o'n wreiddiol ond yn nechrau'r ganrif fe symudodd gyda'i deulu i Fodeilias, fferm fechan ar y ffordd allan o bentref Pistyll i gyfeiriad Nefyn. Saer gwlad oedd o wrth ei alwedigaeth, fel ei dad o'i flaen, ond yn ddigon o grefftwr, yn ôl ei fab, i lunio dreselydd a chlociau. Roedd o'n ffarmwr diwyd, yn ogystal, ac yn berchennog cwch pysgota.

Un o'i ddiddordebau oedd cerddoriaeth gysegredig: roedd o'n abl, meddai'i ddisgynyddion, i ganu nifer o offerynnau – y ffidil, yn arbennig – ac mae sôn amdano'n arwain corau a cherddorfeydd yn ei ardal. Ond fel bardd gwlad y daeth J.T.W. i sylw'r cyhoedd.

Cyn diwedd ei oes, fe fentrodd gyhoeddi cyfrol o'i gerddi a'i galw *Y Pistyll Cyntaf*, a gwneud hynny, yn ôl y Rhagair, ar gais 'taer lluoedd o bobl

2. Cloc o waith 'J.T.W.' a'i dad, sydd heddiw gan ddisgynnydd i'r teulu yn Dorset.

3. 'J.T.W.' y tad – 'gŵr o athrylith'.   4. Ann, y fam, 'enaid parod i waith'.

o bob parth a dosbarth' a chan hyderu na byddai'n 'golled ariannol i mi ei ddwyn allan'. Daeth y gyfrol i olau dydd yn Hydref 1920, hanner blwyddyn cyn ei farwolaeth. Ddeunaw mis yn ddiweddarach cyhoeddwyd ail ddetholiad o'i gerddi a'i alw *Yr Ail Bistyll*. Unwaith, roedd rhai o'r cerddi – megis 'Hen Gwch Dau Flaen fy Nhad', *'Knock the Door the Bell is Out of Order'* [Cân Gymraeg] ac 'Mae'n Heulo yn Rhywle o Hyd' – yn rhyfeddol o boblogaidd a chryn adrodd arnyn nhw oddi ar lwyfannau ac ar bregethau.

Bardd yn canu ffwrdd-â-hi oedd o, yn y mesurau rhydd: yn trafod digwyddiadau'r dydd, yn canmol rhyfeddodau natur neu'n odli neges a chynnwys y Beibl. Ond beth bynnag y testun, gofalai'n ddi-feth fod neges neu foeswers yng nghynffon y gerdd.

Ond pregethwr oedd J.T.W. yn gyntaf ac yn bennaf, wedi gorfod troi at farddoni fel ei ail ddewis. Yn ei gyflwyniad i'r *Pistyll Cyntaf* roedd o'n falch o gael cydnabod hynny – 'Ennyn brawdgarwch, ac alltudio rhodres a rhagrith yw y neges bennaf i'r *Pistyll* hwn.' (Pregethwr fyddai o wedi bod, hefyd, yn ôl yr hyn ddeudodd o wrth ei fab ychydig cyn marw, petai'r amgylchiadau wedi bod yn wahanol.)

Tom Nefyn, mae'n debyg, lwyddodd i berswadio Cynan i ddethol y cerddi ar gyfer *Yr Ail Bistyll*. Ac fe lwyddodd Cynan, chwarae teg iddo, i roi i John Thomas Williams y lle a haeddai fel bardd a gwneud hynny mewn ffordd garedig a gwerthfawrogol – 'Gan hynny, os beirniad gwin ydwyt, dos heibio. Nid oes waith i ti yma; ond os cydymaith a phererin fel ninnau yn lluddedig gan "bwys a gwres y dydd", ar dy gyfer di y torrwyd yr ysgrif sydd uwchben *Yr Ail Bistyll* – "Ŷf a bydd ddiolchgar".'

Fe gyhoeddwyd ail argraffiad bychan o'r ddwy gyfrol yn ystod 1987 gan R. H. Roberts, Nefyn – un â chysylltiad â Tom Nefyn ac oedd yn un o'i edmygwyr.

5. Ar lin nain Cadlan Isaf –
   mam ei fam – tua 1897.

6. Yn hogyn ysgol, yn y canol yn y cefn.

Bu J.T.W. farw ar 29 Ebrill 1921, ar ôl bod yn gaeth i'w wely am hanner blwyddyn, ond cyfeiriad digon llwm sydd at hynny yn yr *Herald*, wythnos yn ddiweddarach, o gofio'i gyfraniad cyson i'w golofnau am dros chwarter canrif; cyfeirir ato fel '*hen* gyfaill diddorol' ac yntau'n marw'n ganol oed. Meddai Tom Nefyn wrth ei goffáu yn *Yr Ymchwil*: 'A chwith oedd gweld ei ysgrifbin, a'i grwth, a'i offer saer, a'i gwch, a'i dyddyn, a'i bibell, a'i gornel o'r sêt fawr hebddo, ac yntau'n ddim ond 54 mlwydd oed'.

Merch ffarm oedd Ann, mam Tom Nefyn, wedi'i magu yn rhannol yn Nhŷ Uchaf, Nant Gwrtheyrn, a Chadlan Isaf, Aberdaron, a'i thad, ar un cyfnod, yn dal tenantiaeth y ddau le fel ei gilydd. Pan oedd hi'n ferch ifanc, yn niwedd wythdegau'r bedwaredd ganrif ar bymtheg, bu Ann yn perthyn i 'fudiad Ieuenctid' a âi o gwmpas ardaloedd pen draw Llŷn i genhadu yn yr awyr agored – dros achos dirwest yn bennaf – a hi, yn ôl ei mab, fyddai'n canu rhai o'r unawdau.

Mae hi'n bosibl mai'r math yma o weithgarwch ddaeth â'r ddau at ei gilydd. Mi fedra'i ddychmygu cenhadaeth felly ar draeth Aberdaron ar hwyrnos braf o ha'; Ann yn canu 'Cais y Colledig', dyweder, gyda'i llais 'soprano penigamp', yn ôl ei mab, a'r prentis saer amryddawn yn cyfeilio iddi â'i ffidil.

Bu Ann farw yn 37 mlwydd oed ar 23 Hydref 1905, bum niwrnod wedi iddi roi genedigaeth i ferch fach. Deg oed oedd Tom ar y pryd, a fo oedd yr hynaf o bedwar o blant. Ond fe soniodd lawer amdani ar ei bregethau, gan dueddu i'w dwyfoli ar bob achlysur: 'Corff lled dal a lluniaidd. Gwallt tywyll, ac wedi'i gribo'n ofalus. Talcen llydan-lyfn, aeliau bwaog, a llygaid effro i bob dim. Wyneb dymunol, a llais soprano penigamp. Enaid parod i waith, ond heb na rhuthr na thrwst'.

Fel yr achubwyd John Wesle yn blentyn pan aeth Ficerdy Epsworth ar dân fe achubwyd Tom Nefyn rhag boddi yn llyn y felin ym Modeilias pan oedd o'n deirblwydd oed a hynny gan gyfaill i'w dad – Thomas Lloyd, Castell Bach – oedd wedi digwydd galw heibio. (Llaw Rhagluniaeth oedd digwyddiad felly yng ngolwg Wesle ac arwydd ei fod wedi'i gadw i bwrpas arbennig.)

Yn dair ar ddeg oed, yn 1909, gadawodd Tom Ysgol Nefyn a mynd i weithio fel prentis o setiwr yn Chwarel y Gwylwyr, tu cefn i'w gartref. Roedd o'n waith, ac yn waith ar garreg y drws. Ond ymhen amser fe symudodd o'r Gwylwyr i Chwarel yr Eifl, i weithio fel labrwr, ac yn nes ymlaen fe aeth i Chwarel Nant Gwrtheyrn i falu cerrig. Ond ychydig wyddai'r hanes, meddai'r *Cambrian News*, wedi'i farwolaeth, fod y 'plentyn fwriadwyd i fod yn un o bregethwyr amlycaf' ei genhedlaeth wedi syrthio i lyn y felin ym Modeilias a'i achub a'i adfer gan gymydog i'w dad.

2. 'YR OEDD HI'N RHYFEL!'

Dewis bod yn filwr wnaeth o, i ddechrau, ac ymuno o'i wirfodd â changen Sir Gaernarfon o'r *Ffiwsilwyr Brenhinol Cymreig*, a gwneud hynny yn ystod wythnosau cyntaf y rhyfel. Mewn oes arall a than amgylchiadau gwahanol, mae hi'n amhosibl i ni ddirnad maint y cyffro oedd yn cerdded Prydain yn ystod Awst a Medi 1914, gan gyrraedd man mor bellennig, anghysbell â Phenrhyn Llŷn: y 'deffro' y canodd Rupert Brooke amdano yn ei gerdd 'Peace': *Now, God be thanked Who has matched us with His hour, / And caught our youth, . . .*

Ond i fod yn deg ag o, roedd Tom Nefyn wedi penderfynu lledu'i orwelion cyn i'r 'deffro' gyrraedd Llŷn. Ei fwriad gwreiddiol, yn ôl ei addefiad ei hun, oedd ymfudo i Star City yng ngogledd Canada cyn diwedd 1914 ond pan glywodd o'r alwad i'r gad fe newidiodd ei feddwl. Hwyrach iddo fo dybio, yn ei ddiniweidrwydd, y byddai milwrio am dymor byr, ar gyflog o swllt a dwy y dydd, yn hwylusach cyfle i 'weld y byd'.

7. Bodeilias a chwarel y Gwylwyr.

Fel yr awgrymwyd, yn nechrau 1915, yn laslanc ifanc, fe'i hanfonwyd i'r Dardanelles, i'r culfor hwnnw rhwng Asia ac Ewrop a elwid, unwaith, yr *Hellespont*. (I'r Dardanelles yr hwyliodd Rupert Brooke yntau, ym Medi 1914, ond fel swyddog yn y Llynges Frenhinol yr aeth o yno ac nid fel milwr cyffredin.) Yn *Yr Ymchwil* mae o'n sôn am y gwres a'r pryfaid yn y ffosydd gwlybion; yn cysgu'r nos ar y pridd noeth heb ddim ond pabell *bivouac* denau yn gysgod; yn sôn am y milwyr yn golchi'u 'crysau lleuog' yn y môr ac amdano'i hun yn tynnu 'sgidia milwr marw ac yn eu cyfnewid nhw am ei 'sgidia 'tyllog' ei hun; mae o'n sôn am gladdu tadau ifanc â'i raw – un ohonyn nhw o fro'i febyd – ac ymladd 'gelyn' wyneb yn wyneb: 'pa beth a ganfûm i ychydig lathenni oddi wrthyf ond Twrc ifanc yn gorwedd yn llonydd â'i ben tuag ataf – dim ond fo a minnau. Corff lluniaidd, tal a chryf. Ei law dde heb ollwng ei reiffl. Rhes gam a choch ar ochr ei dalcen, a hyd ei foch chwith. A'n mudandod anghyffyrddus.'

A brwydr seithug fu hi yn y diwedd. Mewn llai na thri chwarter blwyddyn o ymladd yn erbyn byddinoedd Twrci fe laddwyd 115,753 o fechgyn ifanc ar benrhynnau moel y Dardanelles, heb lwyddo i fynd dros y bryniau nac ychwaith ennill unrhyw fuddugoliaeth. Ond fe gafodd Tom Nefyn ei arbed. Cyn troad y flwyddyn, a chyn i'r brwydro lawn ddod i ben, fe ddaliodd dwymyn, yr *'enteric fever'* fel mae o'n galw'i afiechyd – y teiffoid, o bosibl – a bu'n rhaid ei symud i ysbyty yn Alexandria. Yn nechrau 1916 cafodd ddychwelyd gartref am seibiant byr.

Cyrhaeddais Nefyn un noson, yn fregus fy iechyd, a'r kit-bag yn drymach na'i wir bwysau. Gogleisiwyd fy chwilfrydedd gan si fod yn y neuadd gyfarfod i recriwtio ac euthum yno. Torf fawr, eithr un fud; lampau olew henffasiwn; gwŷr blaen y dref ar y llwyfan; a'r olaf o farwniaid y pulpud yng Nghymru - cawr o ddyn a ochrai'n reddfol gyda myfyriwr tlawd, neu fachgen ysgol a ddygai faich trwm, neu ddiwygiwr ifanc o Gasllwchwr, neu wlad Belg ar awr ei gwendid a'i gwae. Derwen odidog a daflai'n ewyllysgar ei chysgod dros ddafad ac oen! Arhosais wrth y drws; ac wrth droi fy ngolwg yn ddiamcan i'r chwith, canfûm rywbeth a barodd i mi fynd allan. Fel un yn dwl wrando o hirbell, safai gwraig led ifanc yn y gornel. Dros un ysgwydd iddi, a than y gesail arall, yr oedd siôl wlanog, ac yn honno gwelwn wyneb baban oddeutu hanner blwydd oed. A minnau wedi claddu ei dad o dan ffigysbren ym Mae Suvla! Heb roi i'r weddw gyfle i sylwi na siarad, euthum o'r neuadd. Yr oedd y glaw mân yn llwydo goleuadau'r stryd.

Yn Neuadd Madryn, mae'n debyg, y cynhaliwyd y cyfarfod hwn ddisgrifiwyd ganddo yn *Yr Ymchwil*. Y 'cawr o ddyn' y cyfeiria ato oedd y Parch. John Williams, Brynsiencyn, caplan mygedol i'r Fyddin Gymreig ac iddo'r rheng o gyrnol.

Mae o'n dweud iddo ddychwelyd i faes y gad 'o wirfodd' ond un ochr i'r geiniog ydi hynny mae'n sicr. Y gwir amdani ydi, nad oedd ganddo fawr o ddewis yn y mater. Yr hyn olygai, mae'n debyg, oedd iddo wirfoddoli i adael y gwersyll gorffwys yn Park Hall, Croesoswallt, yn gynt na'r gofyn – cyn iddo lwyr wella o'i salwch, hwyrach. Y tro hwn fe'i hanfonwyd i'r Dwyrain Canol ac fe dreuliodd yn agos i dair blynedd yn yr Aifft a Gwlad Canaan. Y tro yma – diolch i'r ysgol Sul – roedd ganddo o leiaf grap ar ddaearyddiaeth y lle. Yn wir, roedd ei dad yn ei chael hi'n anodd i gysoni'r ddeubeth, fel y mynegodd o yn un o'i gerddi, 'Llythyr o "Wlad yr Addewid"':

> Oes *trenches* yng Ngardd Gethsemane
> I fechgyn a fagwyd yn Llŷn?

Ond yr un oedd erchylltra rhyfel yn y Dwyrain Canol ag yn y Dardanelles: y lladd a'r llaid a'r llau, y syched hir a'r gwres digysgod, y medi anhrugarog a diystyr, y gweiddi yn y gwynt a'r gwaed yn gymysg hefo'r glaw.

Mae o'n sôn am gnawd un a laddwyd yn glynu wrth ei ddillad, 'fel tameidiau o glai coch', am ddyddiau lawer. Y dasg y tro hwn oedd gwthio byddinoedd Twrci a'r Almaen allan o Ganaan ac fe laddwyd miloedd ar filoedd o bobl ifanc, o'r ddwy ochr fel ei gilydd.

Mae Tom Nefyn, yn *Yr Ymchwil*, yn cyfeirio at un frwydr yn arbennig a hynny ar 'fwrdd o dir moel', digysgod, ar gyrion Gasa. Mae hi'n debyg

---

Un gyda'r nos, cyn mynd i'r frwydr lle cafodd o'i glwyfo, anfonodd Tom Nefyn lythyr at ei dad - yn ofni mai hwnnw fyddai'i lythyr olaf iddo - ac amgáu tri blodyn o wlad Canaan. Pan gyrhaeddodd yr amlen Fodeilias roedd y blodau wedi gwywo ac roedd yna 'ysmotyn o waed' ar y llythyr. Roedd hynny'n ddigon i gynhyrfu teimlad ac awen J.T.W. ac aeth ati i nyddu un o'i gerddi wyth llinell - 'Llythyr o "Wlad yr Addewid"'. Fe ymddangosodd y gerdd mewn rhifyn o'r *Herald* a'i chyhoeddi yn *Y Pistyll Cyntaf*, roedd yna wyth pennill i gyd. Fel hyn mae'r gerdd yn agor ac yn cloi:

Ces lythyr o "Wlad yr Addewid",
   Ac arno ysmotyn o waed!
Ni wn pa fodd y daeth arno,
   Ond arno er hynny ei caed:
Fy machgen sydd yno ers amser,
   Fy Nhomi yn ymgyrch y gad!
Fy Nhomi yn cerdded hen lwybrau
   Sy'n annwyl gan Gymro pob gwlad.

O, Gymru! O, Gymru! P'le'r ydwyt?
   Mae'r groglith o'r bron wedi dod:
Dy fechgyn sydd bron yng Nghalfaria,
   Ai gweddus sŵn gynnau yn glod?
Beth heddiw i'r Iesu wna Ewrop?
   Ai onid croeshoelio'r un Un?
Oes trenches yng Ngardd Gethsemane
   I fechgyn a fagwyd yn Llŷn?

iawn mai yn Awst 1917 y bu hynny. (Un gwael oedd o am roi y dyddiad cywir ar lythyr neu mewn ysgrif.) O leiaf, fe fu ymladd erchyll yn y rhan yna o'r byd y mis Awst hwnnw. Noson cyn y frwydr roedd y Cymry wedi bod yn morio canu 'Tôn y Botel' ac 'Aberystwyth', 'Cwm Rhondda' a 'Diadem', ond ddeuddeg awr yn ddiweddarach bu lladdfa fawr.

Bu'n gorwedd yn rhandir neb, heb 'loches rhag gwres y dydd na gwlith y nos', am ddeuddydd cyn cael ei achub. Yna, fe'i cludwyd i orsaf trin clwyfau ar faes y frwydr, filltir i ffwrdd, ac oddi yno wedyn, yn ystod oriau'r nos, i ysbyty yng Nghairo.

Daeth y Rhyfel Mawr i ben yn Nhachwedd 1918 ond roedd hi'n 13 Mawrth 1919 ar Tom Nefyn yn cyrraedd yn ôl i'w gartref ym Modeilias, wedi rowndio drwy Salonica, Bwlgaria, Groeg, yr Eidal a Ffrainc. Yna, fel petai'r hyn welodd o ar benrhynnau'r Dardanelles ac ar wastadeddau'r Dwyrain Canol ddim yn ddigon o brawf ar ei ffydd, ddeuddydd wedi iddo ddychwelyd fe ddaliodd Catherine, ail wraig ei dad, y ffliw mawr a ddilynodd y rhyfel a marw'n annisgwyl. Merch y Wern, ffarm oedd am y clawdd terfyn â Bodeilias oedd hi. Fel Ann, bu farw'n 37 mlwydd oed a hithau, hefyd, yn fam i bedwar o blant.

3. RHYFEL YR OEN

Gŵr a gafodd dröedigaeth feddyliol yn ystod y Rhyfel Mawr oedd Siegfried Sassoon, un arall o feirdd blaenllaw y Rhyfel Byd Cyntaf. I'r Ffiwsilwyr Brenhinol Cymreig y perthynai Sassoon, fel Tom Nefyn, ond ei fod yn swyddog yn hytrach na milwr cyffredin. Yn ei gerdd 'They' mae o'n proffwydo y byddai'r milwyr a ddychwelai o'r brwydro yn bobl wahanol: 'When the boys come back / They will not be the same . . .'

Dyna, yn sicr, fu profiad Tom Nefyn. Ond roedd y dröedigaeth gafodd o'n un llawer lletach a llawer dyfnach na'r un y canodd Sassoon amdani ac yn un drodd ei fywyd â'i wyneb i waered.

Yn y gyfrol goffa, *Tom Nefyn*, gyhoeddwyd yn 1962, mae'r golygydd, William Morris, yn awgrymu iddo gael ei dröedigaeth yn Awst 1915, yn union wedi iddo dderbyn llythyr oddi wrth y Parch. Owen Pritchard, gweinidog Capel Isaf, Nefyn. Sail William Morris dros awgrymu hynny oedd llythyr dwys o werthfawrogiad Tom Nefyn at Owen Pritchard, dair blynedd a mwy yn ddiweddarach: 'Gwedi darllen y llythyr darllenais fy Nhestament. Canfyddais fod y "Graig yn dal".'

Ond adolygu **un** profiad ysbrydol arbennig gafodd o yn ystod ei gyfnod yn y Dardanelles mae Tom Nefyn yn ei lythyr. Yn ei hunangofiant, mae o'n sôn am brofiadau eraill, yr un mor chwyldroadol.

Gwraig dal, wen ei llaw a gwyn ei gwallt, a arweiniai'r cyfarfod; hithau, ar ôl cenhadu'n hir yn China ac India, o'r diwedd yn troi'n ôl am Sgotland. Rhoesid i bobun lyfr emynau, a rhydd genid y rhif y galwai hwn a'r llall amdano. Mwynhaem y dôn Nottingham a'r geiriau "Cymer, Arglwydd, f'einioes i", ond dyma'r hen genhades yn ein hatal. Ebe hi: "Beth? Cymer f'einioes i? Tybiwch ei fod yn ei chipio oddi arnoch, a fyddech chwi'n fodlon?" Distawrwydd. Ebe hi yr eildro: "Neu tybiwch ei fod yn gofyn i chwi ochri gydag ef ym mhethau'r gwersyll. A wnaech chwi?"

Y distawrwydd yn troi'n holi mewnol. Ebe hi wrthym drachefn: "Dychmygwch ei fod yn eich cymell i fynd drosto i dai anniwair Cairo, i adfer rhywun coll. A anturiech chwi yno?" Y distawrwydd a'r ymholi mewnol wedi datblygu'n awr yn farn. Ac ni chenais mwy . . .

Disgrifiad Tom Nefyn o gyfarfod crefyddol mewn ysbyty i filwyr ger Cairo pan oedd o'n un o'r cleifion yno; cam arall ar lwybr ei dröedigaeth, mae'n debyg.

8. Y milwyr ddaeth
   yn weinidogion –
   Trefor Evans,
   Iorwerth Williams
   a Tom Nefyn.

Y gwir amdani ydi, nid y dröedigaeth glasurol y canodd Pantycelyn amdani, 'Byth cofiaf mwy y lle a'r fan', oedd un Tom Nefyn ond yn hytrach stribed o brofiadau cofiadwy a'i harweiniodd, dair blynedd yn ddiweddarach, at awr yr 'ymgyflwyniad', chwedl yntau.

'Dydi hi ddim yn bosibl i ddyddio'r digwyddiad hwnnw'n fanwl, na'i leoli ar fap. Yn ôl yr hunangofiant, fe ddigwyddodd yn ystod oriau'r nos pan oedd Tom Nefyn ar ei ben ei hun yn gwarchod storfa arfau ar gyrion Beerseba yn ystod 1917.

Yn wahanol i enwau mawr y Ffydd Gristnogol a ddisgrifiodd eu tröedigaethau yn nhermau ailenedigaeth neu brofiad ffordd Damascus fe ddewisodd Tom Nefyn ddarlunio'r 'ymgyflwyniad' hwnnw mewn dull llai confensiynol ac osgoi delweddau'r Testament Newydd: '. . . a sut bynnag y teimlai ambell Gymro ifanc wrth gamu i'r llong a'i cludai am y waith gyntaf i Batagonia, pur debyg i hynny oedd fy nheimlad innau pan benliniais yn unig tu allan i'r *dug-out* y noson honno. A dyma bennill yr ymgyflwyniad:

> Cymer, Iesu, fi fel 'r ydwyf,
> Fyth ni allaf fod yn well . . .'

9. Tom a Bob Williams – un o Fôn – yn Cairo tua 1917. Sylwer ar y mwstas newydd milwrol.

Ar ddechrau'r rhyfel, pan oedd o'n ymladd yn ffosydd lleidiog y Dardanelles, roedd o'n darllen ei Feibl yn gyson, ond yn fwy o ran arferiad a dyletswydd, hwyrach, na dim arall. O leiaf, dyna'r awgrym roddodd o yn y llythyr hwnnw a anfonodd o at Owen Pritchard: 'Yn flaenorol bob dydd, beth bynnag a ddeuai, byddwn yn darllen fy Meibil, yn mwynhau hynny, eto'n ffaelu cael gafael ar y gobaith ynddo.' Roedd Beibl ei fam ganddo ar y dechrau ond anfonodd hwnnw i'w dad yng Ngorffennaf 1915 cyn

croesi i'r Dardanelles gyda'r gerdd 'Beibl Fy Mam':

'R wy'n anfon hen Feibil Mam adref;
  O cedwch ef imi, fy Nhad.
Nid oes gennyf logell i'w gario
  Tra'n ymladd ym mrwydrau fy ngwlad.
'R wy'n anfon fy mhethau hawddgaraf
  I'ch gofal tra fyddwyf i ffwrdd
Yn ymladd dros Gymru a chartref,
  Duw roddo in eto gael cwrdd.

Ond fel naill hanner pobl ifanc Llŷn yn y cyfnod hwnnw, roedd Tom Nefyn yn 'hogyn capel' cyn iddo fo erioed ymuno â'r Fyddin: yn aelod gyda'r Methodistiaid Calfinaidd ym Methania, Pistyll, er pan oedd o'n hogyn pedair ar ddeg oed, yn athro Ysgol Sul yn bedair ar bymtheg, a'i dad o'n flaenor yn yr eglwys. Hogyn felly aeth â'i bac ar ei gefn o dawelwch gwlad Llŷn, hanner crefyddol, i'r Dardanelles a'r Dwyrain Canol.

Mae hi'n amlwg, hefyd, iddo adael ei gartref yn credu rhai gwerthoedd Cristnogol a ddaliodd oddi wrth ei rieni ac a ddysgwyd iddo yng ngweithgareddau'r capel: 'Gwyddwn i mi . . . wneuthur un neu ddau o bethau aberthol ac ymgadw rhag cwrw, ac adrodd yn swil fy mhader . . .'.

A beth am ddylanwad pobl eraill arno yn ystod ei ddyddiau yn y Fyddin? Yn dilyn y Rhyfel Byd Cyntaf fe aeth llawer o gyn-filwyr yn weinidogion; roedd nifer dda ohonyn nhw'n fyfyrwyr diwinyddol cyn i'r rhyfel dorri allan ac yn perthyn i'r Cwmni Cymreig o'r Corfflu Meddygol – y *God's Own* – 'doedd Tom Nefyn ddim yn un o'r rheini ond fe gafodd gyfle i gyfeillachu hefo amryw ohonyn nhw a chyda rhai o'r gweinidogion oedd yn gaplaniaid ar faes y gad: Parch. David Hoskins, Caernarfon, yr Athro David Williams

10. Yn gwella yn yr ysbyty yn Alecsandria. Tom Nefyn y seithfed o'r chwith yn y rhes gefn.

yn arbennig, a gweinidog o'r enw Arthur William Davies, a enillodd y Groes Filwrol am ei ddewrder, ac a roddodd ddiod o ddŵr iddo yn yr orsaf trin clwyfau honno tu allan i Gasa. Meddai Tom Nefyn amdano: 'Anghofiais ei bregethau o bryd i bryd, ond erys oerni'r dŵr. Ni wn pa un ai Calfin neu Armin ydoedd, ond deallais ddiwinyddiaeth y diferion prin'.

O 1917 ymlaen, fe ddechreuodd Tom Nefyn ddylanwadu ar eraill. Cyn hynny, Cristion sêt gefn oedd o, yn amharod, chwedl yntau, i 'wneuthur undim yn y cyhoedd, ag eithrio canu'r piano pan fyddid yn brin o gymorth'. Wedi'i dröedigaeth aeth ati gyda dewrder a brwdfrydedd i arwain gwasanaethau crefyddol, i fugeilio'i gyd-filwyr yn eu gwahanol broblemau ymhell o'u cartrefi, ac i ddarllen y Beibl a gweddïo hefo nhw. Byddai, fe fyddai Tom Nefyn yn cytuno â chymal olaf cerdd Sassoon, ac o bosibl yn medru rhoi llawnach ystyr iddi: '. . . 'The ways of God are strange!''

4. UFUDDHAU I'R 'LLAIS'

Gan ei bod hi'n nos Sadwrn eithriadol o braf, a'r dydd hwyaf ar ben hynny, fe benderfynodd Tom Nefyn ufuddhau i'r 'Llais' a beicio i lawr y gelltydd i gyfeiriad Nefyn. Wedi rhoi beic ei dad i orffwyso ar wal Ffynnon Fair cerddodd at y Groes a mentro i'r dwfn.

'A welsoch chwi Ef?' gwaeddodd, â'i holl egni.

Cerddodd mudandod dros y strydoedd; peidiodd y cŵn â chyfarth.

'A welsoch chwi Ef,/Iesu, fy mrenin a'm Duw?' Ro'n innau yn meddwl 'mod i wedi'i weld o. Pan fydda' Griffith Goodman ar 'i liniau yn y sêt fawr yn cyfarch ei Dad Nefol, a chi'r hen William Williams Llwyn Ffynnon wedi codi'i ben i wrando arno fo.'

Dechreuodd pobl lifo i gyfeiriad y Groes o bob cyfeiriad: i fyny Stryd y

11. Tom Nefyn ifanc a'r gynulleidfa ar 'Stryd Llan', Nefyn, tua 1919-20.

Llan ac o gyfeiriad Lôn Morfa, o'r *Sportsman*, heb lawn yfed y gwydrau i'r gwaelod, ac o Siop Gawan Huws y barbwr a hwythau ar ganol cael eu siafio – yn hen ac yn ifanc, yn blant ac yn gŵn.

'Hogyn J.T. Dybliw 'di hwn?' holodd rhywun.

'Ma' nhw'n deud ma'r Armi sy' 'di deud ar 'i feddwl o?'

Llithrodd John Hughes, y torrwr cerrig ac un o ddiaconiaid Soar yr Annibynwyr, i sefyll wrth ei ochr.

'A welsoch chwi Ef? Ro'n i wedi meddwl 'mod i'n 'i weld o pan fydda' Jâms Jones yn deud yn y seiat fel y cafodd o'i sychu adag y Diwygiad a Richard Lewis y Siop, yr eiliad honno, yn taro'r dôn 'Moriah'.'

Daeth hen wraig allan o un o'r tai cyfagos yn llusgo cadair i'w chanlyn.

'Tomos Williams, 'machgan i , camwch i ben hon, er mwyn i fwy o bobol ych gweld chi a'ch clywad chi.' Trodd yr hen wraig at John Hughes a sibrwd, ''Tasa ond o barch i'w dad o, ynte John Hughes?'

'Gyfaill, clyw!' gan roi bloedd. 'Mi fuo raid i mi fynd bob cam i'r Dardanelles ac i Wlad yr Addewid, a thrwy uffern y Rhyfel Mawr, i'w 'nabod O mewn gwirionedd. Ond, a welsoch **chwi** Ef?'

Yng ngwres y neges dyma rywun, cynnes ei galon, yn taro'r dôn *'Intercession'* ac roedd yna ddigon o grefyddwyr selog yn y dyrfa, a rheini'n ddigon agos at ei gilydd, i droi'r unawd yn ganu cynulleidfaol brwd a gwresog.

> . . . Dros droseddwyr fel myfi,
> Rhoes ei hun ar Galfari, -
> Trwy gyfiawnder fy Meichiau caf fyw.

Pan beidiodd y canu, wedi'r dyblu a'r treblu, llithrodd y pregethwr i weddïo'n dawel. Ond ychydig glywodd y weddi honno. 'Doedd Gruffydd Jones, Efailnewydd – un o gefnogwyr selocaf Byddin yr Iachawdwriaeth pan fyddai rheini'n 'tanio' ar Nefyn – yn porthi ac yn amenio'r gweddïwr â llais toredig, uchel, nes boddi pob brawddeg.

Mae hi'n fymryn o dynnu i fyny o Nefyn i gyfeiriad yr Eifl, ond ni theimlai hynny.

Pan oedd o'n nesu at y tŷ fe welai'i dad yn sefyll ar yr hiniog, yn gwargrymu yn erbyn cefndir golau'r gegin.

'Deud i mi, machgan i, be' oedd y canu bendigedig 'na glywis i yn dwad o gyfeiriad Nefyn?'

'Y fi, wedi hir betruso, fentrodd at y Groes i ddeud gair dros 'y Ngwaredwr. Ac mi aeth yn orfoledd yno at y diwadd.'

Rhoddodd J.T.W. ei law drom ar ysgwydd chwith ei fab a gofyn, 'Wyt ti am fynd yno eto?'

'Nos Sadwrn nesa', os Duw a'i myn.'

'Yli, mi ddo' i yno hefo ti. I ddal y gannwyll iti.'

Roedd Jane Rowlands, yr howscipar, yr un mor ddwys ei theimlad ond ei bod hi'n ei fynegi mewn ffordd fwy cartrefol. Cydiodd yn y tebot pridd oedd yn stiwio ar y pentan a'i gario fo at y ford, 'Ddois ti, 'machgan i? Ty'd at y bwrdd 'ma i ti ga'l panad gynnas.'

Gydol haf a hydref 1919, wedi diwrnod o waith ffarm – yn chwynnu maip neu'n cynnull ŷd, yn chwalu tail neu'n canlyn dyrnwr – bu'n crwydro ardaloedd a phentrefi Llŷn ar ei feic, i ganu a phregethu yn yr awyr-agored ac yn y capeli, a'i dad yn mynd i'w ganlyn. Ac fe ddaeth y tyrfaoedd i wrando a chefnogi: cymaint o dyrfa yn Nefyn, un nos Sadwrn, nes i dafarnwr y *Sportsman Hotel* gwyno wrth y plisman lleol fod yr efengylydd yn dwyn ei gwsmeriaid o. Pan ddisgynnodd y tafarnwr hwnnw'n farw y Llun canlynol, roedd gwerin grediniol Llŷn o'r farn mai llaw yr Hollalluog oedd wedi ymyrryd!

12. Diwedd dyddiau'r coleg. Llun *Trysorfa'r Plant'*, Chwefror 1925.

O GOLEG I GOLEG

1920: Ysgol Feiblaidd, Ynys Hir, Cwm Rhondda. Ychydig fisoedd fu yno. Ystyriai fod yr addysg yn rhy fewnblyg a'r dehongliad o'r Beibl yn rhy gyfyng.

1920: Ysgol Clynnog. Oherwydd gwaeledd ei dad, a chyfnod o afiechyd personol, bu'n rhaid iddo ymadael.

1921-2: Coleg y Bala. Roedd o bellach wedi'i dderbyn yn ymgeisydd am y weinidogaeth gyda'r Methodistiaid Calfinaidd ac yn fyfyriwr diwinyddol.

1922-4 Y Coleg Diwinyddol, Aberystwyth. Aeth i Aberystwyth i gwblhau'i gwrs diwinyddol wedi uno'r ddau goleg.

1924-5: Coleg y Bala, yn dilyn blwyddyn o hyfforddiant bugeiliol.

1925: Ym mis Medi, wedi iddo gwblhau'i gyrsiau'n llwyddiannus, fe'i hordeiniwyd yn weinidog gyda'r Methodistiaid Calfinaidd.

* Ar wahân i astudiaethau Beiblaidd, ei ddiddordeb pennaf oedd athroniaeth, a seicoleg yn nes ymlaen.

* Myfyriwr rhyfeddol o ddiwyd. Meddai, yn ei hunangofiant: 'Ymestynnai fy niwrnod gwaith o chwarter i bump yn y bore hyd hanner awr wedi deg y nos; ac ar wahân i'm gwaith achlysurol ar y stryd ac mewn tafarnau . . .'.

* Bu'n dilyn cyrsiau ychwanegol drwy'r post.

* Enillodd ddwy ysgoloriaeth fewnol yn ystod ei dymor yn Aberystwyth.

* Ei uchelgais, er pan oedd o'n filwr yn y Dwyrain Canol, oedd 'cael mynd i Rydychen' ond ni lwyddodd i sylweddoli'i freuddwyd.

* Ei gymeriad, yn hytrach na'i allu meddyliol, barodd i Brifathro'r Coleg Diwinyddol, Owen Prys, ddweud mai fo oedd 'y dylanwad ysbrydol cryfaf fu yn y coleg ers deng mlynedd ar hugain' a hynny'n ddiamau a'i gwnaeth o'n arwr i rai o'i gyd-fyfyrwyr.

5. LAWR I'R TYMBL

Serch bod myfyrwyr diwinyddol yn ddau am ddimai yng nghanol y dauddegau, ac mai tuedd 'eglwysi o faint' oedd chwilio am weinidog wedi bwrw'i brentisiaeth yn ddidramgwydd yng nghefn gwlad, roedd aelodau Ebeneser, y Tymbl, yn ffodus ryfeddol i sicrhau gwasanaeth Tom Nefyn. Fo oedd y 'seren' ymhlith myfyrwyr ei gyfnod ac roedd eisoes wedi gwneud cryn enw iddo'i hun. Fe aeth yno i bregethu am y waith gyntaf ym mis Medi 1924 a dal y gynulleidfa fawr yng nghledr ei law, a chodi'r alwad, serch iddo'u rhybuddio nhw ymlaen llaw y byddai'n herio'i gynulleidfa i wahanu rhwng 'grawn eu ffydd a'r us'. Nid nad oedd hithau yn eglwys oedd yn llond ei chroen. 'Roedd Ebeneser tua 230 o aelodau yr adeg honno,' meddai

13. E. P. Jones y Tymbl ar wyliau yn Llŷn, tua 1930.

14. Ceri y ddyweddi ifanc.

E. P. Jones, wrth adolygu'r hyn ddigwyddodd yno'n ddiweddarach, yn rhifyn Ionawr-Mawrth 1970 o'r *Ymofynnydd*, 'a chyfrifwyd hi gan yr "Hen Gorff " yn un o'r eglwysi gorau yn y Cyfarfod Misol.'

Ond roedd rhaid i weinidog wrth wraig! Cyn diwedd ei yrfa yn y colegau roedd Tom wedi cyfarfod Ceridwen - merch William ac Emily Jones, *Beehive Stores*, Coedpoeth, ger Wrecsam - ac fe briodwyd y ddau yn union cyn iddyn nhw symud i lawr i Gwm Gwendraeth yn nechrau Hydref 1925. Pedair ar bymtheg oedd hi ac yntau'n ddeg ar hugain.

Wrth fudo o'r Pistyll i'r Tymbl, mudo o un pentref i bentref arall roedd Tom Nefyn, ond roedd y mudo hwnnw yn gryn newid byd iddo. Pentref gwledig yng ngolwg y môr oedd Pistyll gyda stryd fer o dai, capel ac eglwys, a'r boblogaeth yn denau a gwasgaredig; roedd cryn ddwy fil yn byw yn y Tymbl diwydiannol, ysgwydd wrth ysgwydd, a chynifer â hanner dwsin o enwadau gwahanol ar y maes - yn cynnwys rhai newydd a dieithr fel Efengylwyr a Phentecostiaid. Cymraeg oedd iaith y ddwy gymdeithas fel ei gilydd. Yn ôl Glyn Anthony yn ei gyfrol *Coal Dust and Dogma* - sy'n adrodd saga Tom Nefyn yn y Tymbl ar ffurf atgofion plentyndod, gan ddefnyddio ffugenwau yn hytrach nag enwau - roedd naw deg pump y cant o'r boblogaeth yn deall Cymraeg. (Mae hi'n ddiamau fod cefn gwlad Pistyll, yn 1925, yn iachach na hynny hyd yn oed.) Serch siarad yr un iaith, mewn dwy dafodiaith wahanol, roedd y ddwy gymdeithas yn bur annhebyg i'w gilydd: y glöwr, yn ôl Anthony, yn fwy llafar a thanbaid - *more voluble, excitable and ebullient*, ydi'i ddisgrifiad o - a phobl pen draw Llŷn yn hamddenol ryfeddol.

Deintydd oedd E.P. Jones wrth ei alwedigaeth ond o ran ei ddiddordebau roedd yn llenor a bardd - yn enillydd yn yr Eisteddfod Genedlaethol ar y ddychangerdd - ac yn ddarlithydd ar hanes lleol. O ran ei ddiddordebau roedd o'n dilyn yn llwybrau'i dad, Arfonfab, oedd hefyd yn fardd. Y fo oedd ysgrifennydd Llain-y-Delyn ac arweinydd y Gymdeithas am dros ddeugain mlynedd. Roedd ei briod, Jennie, yn ferch i Owen Owen, oedd yn flaenor ym Methesda yn ystod helynt y Tymbl. Ymhlith y papurau drosglwyddodd E. P. Jones i Adran Llawysgrifau y Llyfrgell Genedlaethol mae yna wybodaeth werthfawr am Tom Nefyn a'i gysylltiad â'r lle. Yr hyn sy'n chwithig wrth gwrs, o gofio'r hyn ddigwyddodd yn ddiweddarach, ydi mai Tom Nefyn oedd wedi'i wthio i'r cyfeiriad hwnnw, yn union wedi iddo gael ei ddiarddel, drwy ofyn iddo arwain y seiat wythnosol yn ei le - er nad oedd E. P. Jones, ar y pryd, yn aelod o'r seiat honno! Mae'r braslun o hanes y Gymdeithas yn Llain-y-Delyn gyhoeddwyd ganddo yn rhifyn Ionawr-Mawrth 1970 o'r *Ymofynnydd* yn dangos fel roedd dolur yr ymwahanu yn dal i redeg ddeugain mlynedd yn ddiweddarach. Bu farw 7 Mai 1973 yn 80 oed.

15. Elsie Roberts yn 1998.

16. Margaret Ann Morgan yn 1998.

Er enghraifft, roedd Elsie Roberts, Berwyn, Heol Singleton - oedd yn 96 mlwydd oed pan elwais i heibio iddi - yn ferch ifanc newydd briodi pan oedd Tom Nefyn yn y Tymbl, hi a'i diweddar ŵr yn aelodau yn Ebeneser a'i thad yn un o'r blaenoriaid. A dyna Miss Margaret Ann Morgan, 43 Heol y Bryn wedyn. Plentyn rhwng deg a deuddeg oedd hi ar y pryd, ei thad, D. R. Morgan, yn Rheolwr yng Ngwaith Glo y Mynydd Mawr a'i rhieni hithau'n aelodau selog yn Ebeneser. Ond yn fwy na'u bod nhw'n medru dwyn rhai o'r digwyddiadau i gof, yr hyn oedd yn fy nghyfareddu i oedd eu bod nhw'n dal i dwymo iddi wrth ail-fyw hanes yr hyn ddigwyddodd dros drigain mlynedd yn ôl.

6. 'ADEILADU'R EGLWYS AR EI LINELLAU EI HUN'

Y peth cyntaf wnaeth Tom Nefyn wedi cyrraedd y Tymbl oedd gwrthod 'unrhyw lun ar gyfarfod sefydlu a'i siarad di-sacrament', gan ychwanegu mai 'peth tila ydyw sosial yn ei le'. O gofio mai canol y dauddegau oedd hi, roedd hynny'n sicr o fod yn siom i'r saint. Ond wrth wrthod y blwmonj a'r bara brith fe arbedwyd deg punt i drysorydd y capel mewn cyfnod o gryn ansicrwydd i'r glowyr, a'r glowyr oedd yn cynnal yr achos yn Ebeneser.

Cyn pen ychydig wythnosau fe sylweddolwyd fod T. Nefyn Williams yn weinidog cwbl wahanol i'w ragflaenydd, Y Parch. W. D. Davies. Gweinidog canol y ffordd oedd o, wedi dod yn drwm o dan ddylanwad Diwygiad 1904-5 ac yn ŵr uniongred ei ddaliadau a gwresog ei ysbryd. Roedd yn wahanol iawn hefyd i'r gweinidogion eraill oedd yn y Tymbl ar y pryd.

Yn un peth, roedd o'n gwrthod y syniad o eglwys fel pregethwr yn

LEWIS TYMBL

Roedd gweinidog enwog Bethesda'r Annibynwyr, y Parch. D. J. Lewis, a Tom Nefyn yn byw drws nesaf i'w gilydd ond yn ôl Ieuan Davies yn ei gofiant iddo, *Lewis Tymbl*, 'digon llugoer' fu'r berthynas rhwng y ddau.

Bryn*tawel* oedd cartref D.J. Lewis a Bryn*tirion* oedd cartref Tom Nefyn ac efallai fod y ddau ansoddair yn ddisgrifiad o'r ddwy weinidogaeth wahanol. Roedd D. J. Lewis bymtheng mlynedd yn hŷn na'i gymydog newydd, ac wedi bod yno am ddeunaw mlynedd cyn iddo fo gyrraedd, ond nid hyd y blynyddoedd oedd yn gyfrifol am y pellter fu rhwng y ddau. Hoelen wyth yn yr ystyr draddodiadol oedd 'Lewis Tymbl' yn ysgwyd cyrddau mawr ar hyd y tir ac yn tueddu i 'ddifyrru'i gynulleidfa', yn credu'n weddol uniongred, ac at ei gilydd yn gweithio allan ei weledigaeth oddi mewn i furiau'r cysegr; pregethwr 'modern' oedd Tom Nefyn, eithriadol ddwys a difrifol ond yn un hynod o anuniongred ei syniadau, ac yn mynnu mynd â'r neges allan i'r stryd a'i chymhwyso at amgylchiadau pobl, yn arbennig pobl gyffredin.

Yn wleidyddol ac yn gymdeithasol roedd y ddau mewn gwersylloedd gwahanol: Tom Nefyn yn cefnogi y Sosialaeth newydd oedd ar gerdded a'r llall â'i gydymdeimlad â'r hen Ryddfrydwyr ac yn awyddus i warchod gwerthoedd oes Fictoria. Fe ddaeth Tom Nefyn i'r Tymbl yn casáu Rhyfel ond fe ddangosodd Lewis ei gefnogaeth i ryfela yn ystod y ddau Ryfel Byd. Mae hi'n gwbl amhosibl dychmygu am Tom Nefyn yn 'aelod go flaenllaw' o'r Seiri Rhyddion yng Nghaerfyrddin ac mae'n debyg na fydda' neb yn disgwyl i D. J. Lewis chwarae consartina tu allan i'r Tumble Inn.

17. Llygaid treiddgar
'Lewis Tymbl'.

annerch cynulleidfa ac un o'r pethau cyntaf wnaeth o oedd rhannu'r gynulleidfa i bum grŵp, yn ôl eu hoedrannau, a'u cyfarfod nhw'n rheolaidd ac yn annibynnol ar ei gilydd i'w bwydo nhw â syniadau newydd a beiddgar. Bwriad Tom Nefyn, mae'n ddiamau, oedd tywallt gwin newydd i'r hen gostrelau.

Yn ôl Glyn Anthony - ac rwy'n cymryd yn ganiataol mai atgofion dilys ydi sylfaen y gyfrol - fe awgrymodd Tom Nefyn, un nos Lun, y byddai hi'n beth da petai'r 'gwragedd yn dod â'u gweu a'r dynion yn dod â'u pibelli, sigaréts a phapurau newydd . . .'. Ond 'doedd gan Elsie Roberts ddim cof am hynny: 'Cymaint a fues i yna, weles i neb yn gweu 'na.' A thueddu i wneud yn fach o gyhuddiadau o'r fath wnâi Tom Nefyn mewn blynyddoedd diweddarach: 'Stori ddigrif oedd honno a fynnai fy mod wedi smocio yn y Seiat, a'r mygyn cyntaf a gawswn o faco Amlwch a phibell fy nhad wedi fy niddyfnu am byth!'

Ond y digwyddiad dynnodd sylw'r wlad ar y pryd oedd hwnnw am hogyn ifanc o'r enw Emrys a berswadiwyd gan y Gweinidog i annerch y Seiat ar 'Gwerth disgyblu'r corff i grefydd'. Ond perfformio wnaeth o, yn hytrach nag annerch, yn ei drowsus fflanel a'i fest, gan droelli dau 'Indian club' amgylch-ogylch ei ben. A chan fod hyn ymhell cyn dyddiau'r jogio a'r jacwsi 'does dim rhyfedd i bapurau newydd roi sylw i'r digwyddiad.

Yn y dosbarth Beiblaidd ar nos Wener ac yn yr ysgol Sul roedd o'n rhoi sylw i'r Beibl - ond yn ei drafod o'n rhyddfrydol, gan ddewis a dethol a chynnig beirniadaeth ar ei gynnwys a'i anghysondebau - ond roedd seicoleg a gwleidyddiaeth yn rhan bwysig o'r cwricwlwm yn ogystal, a llyfrau fel *Christ and Labour* a *Christianity and the Social Order* yn cael eu hastudio, a'r aelodau yn pori mwy yn y *Christian Commonwealth* a'r *Clarion* na'r *Goleuad* neu'r *Drysorfa*. Roedd ei ddulliau cyfathrebu'n syndod o newydd. Yn y dauddegau, roedd sasiwn a chymanfa yn frwd eu gwrthwynebiad i'r sinemâu myglyd oedd yn agor wrth y degau, gan ddychmygu'r anfoesoldeb oedd yn debyg o ddigwydd ym mwrllwch seddau cefn y *Majestic* a'r *Coliseum* wrth i ddeuoedd wylio *We're All Gamblers* ac *Eager Lips* neu droi'u cefnau ar Harry Lloyd a *Charley's Aunt*. Cyn 1926, a'r cyni a ddilynodd, roedd Tom Nefyn wedi llwyr fwriadu prynu 'sinema fechan' i gyflwyno'r neges Gristnogol i bobl ifanc ond wedi'r Streic bu raid iddo fodloni ar ddangos *A Thousand Nights up the Congo* a stori bywyd Sadu Sundar Singh yn anghyffyrddusrwydd y festri gyda chymorth llusern hud.

Roedd o'n un o'r gweinidogion cyntaf i fynd â phobl ifanc i grwydro'r wlad ac i wersylla, er mwyn 'dyfnhau'r gwerthoedd Cristnogol' chwedl yntau. Er enghraifft, yn ystod 1926 fe aeth â phobl ifanc o'r Tymbl i wersylla ger traeth Afonwen, yn Eifionydd, ar lain o dir oedd yn perthyn i frawd fy nain.

Arfer Tom Nefyn oedd neilltuo oedfa bore Sul i blant yn unig gan egluro

---

I b'le yr ewch, y Tylwyth Teg	Na'n wir, ymlaen y cerddwn ni,
Ar noson sydd mor oer?	Er gwaetha'r gwynt a'r mellt;
Mae'r blodau'n cysgu ym mhob man,	Fe glywsom am ryw blentyn bach
A chwmwl dros y lloer.	Sy'n wael mewn tŷ to-gwellt.
O, trowch yn ôl i'ch lle'n y coed,	Rhown gannwyll wrth ei wely llwm,
I ddawnsio gylch y tân;	Ac oraen ar ei fwrdd;
Mil gwell na thwrw'r storm, yn siwr,	Rhown gusan ar ei dalcen poeth,
Yw cysgod clyd a chân.	Ac wedyn awn i ffwrdd.

Emyn plant o waith Tom Nefyn gyhoeddwyd ganddo yn *Yr Ymchwil*. Yn ddiweddarach, roedd o'n hunan-feirniadol iawn o'i gasgliad emynau ar gyfer plant - ac oedolion o ran hynny - gyfansoddwyd ganddo yn nyddiau'r Tymbl: 'Ymddengys yn rhy dawedog ynglŷn â'r Arglwydd Iesu, er ei fod Ef yng ngwead fy holl feddwl'.

18. Cyfaill plant Y Tymbl (o'r chwith i'r dde).
Rhes gefn: Elvira Lewis, Enid Williams, Celia Jones, Hilda Gealy, Eluned Williams, Glenys
Evans.
Y drydedd res: Lyn Rees, Elwyn Jones, Vernon Roberts, Brynmor Gealy, Harry Thomas, Bob
Jones, Lyn Jones, Jimmy Thomas, —.
Yr ail res: Jenny Jones, Gwenlais Jones, Auriol Griffiths, Anita Roderick, Beryl Davies, Agnes
Lewis, Mary Lewis, Eirlys Morgan.
Rhes flaen: Moelwyn Jones, Ewart Morgan, David Roberts, Tommy Jones, Elwyn Jones, Parch.
T. Nefyn Williams, Eirlys Matthews, Wilma Griffiths, Rhiannon Gealy, Millicent Jones.

i'w gynulleidfa mai 'gwrandawyr breintiedig' oedd pawb arall. Ar wahân
i'r Gweinidog yn adrodd dameg fer, y plant oedd yn cynnal yr oedfa
drwyddi draw. Ac fel na phetai digon o waith yn ei hafflau aeth ati i
gyfansoddi casgliad o emynau ar eu cyfer.

Ond nos Sul oedd penllanw'r wsnos pan fyddai'r aelodau, ac eraill (nifer
fawr ohonyn nhw yn achos Tom Nefyn) yn heidio i'r capeli: i Fethesda a
Bethania, i Ebeneser a Bryn Seion, dyweder, i wrando artistiaid y pulpud
Cymraeg yn pregethu'r Gair. Nid pregethu'r Gair yn unig a wnâi Tom
Nefyn - serch ei fod o gystal artist â'r un ohonyn nhw - ond rhoi cyfle i'w
gynulleidfa, ar ddiwedd yr oedfa, i'w holi am y Gair a bregethwyd.

Ugain mlynedd yn ddiweddarach, fodd bynnag, roedd o'n teimlo iddo
roi gormod rhaff i'w wrandawyr gan i'r holi ar derfyn y gwasanaeth droi yn

39

erlyn a'r oedfaon nos Sul yn ymdebygu i hustyngau gwleidyddol gyda rhai o'r aelodau oedd yn anghytuno â'i ddaliadau yn hyrddio cwestiynau tuag ato oddi ar ffrynt y galeri.

'Y nosweth 'wy'n gofio fwyaf', meddai Margaret Ann Morgan, 'yw honno pan o'dd y gynulleidfa'n codi lan i ganu'r emyn "Rwy'n ofni f'nerth yn ddim" yn union wedi'r bregeth. O'dd e am i ni ailganu'r trydydd pennill ond hepgor y pennill ola', achos o'dd e ddim yn cydweld â'i ddiwinyddieth e:

> Cyfiawnder marwol glwyf,
> A haeddiant dwyfol loes,
> Y pris, y gwerth, yr aberth drud,
> A dalwyd ar y groes . . .

Ond am Tom Morgan, y codwr canu, fe a'th e 'mla'n i ganu'r pennill ola' 'run peth. A nhad ac aelode eraill yn ymuno gydag e, ac fe ganon nhw'r pennill i gyd!'

Fe aeth pethau o ddrwg i waeth wedi hynny, fel yr eglurodd Miss Morgan, 'Chi'n gweld, o'dd nhad a Tom Morgan, y codwr canu, ddim yn cytuno â'r hyn o'dd e'n 'weud boitu'r Cymun. "Alla i ddim â dala rhagor," medde fe wrth 'nhad. 'Wy wedi gweddïo am arweiniad a heno 'wy i am gerdded ma's.'

'Ddaru nhw?'

'Na. Fel o'dd y gynulleidfa yn canu "Adref, adref, blant afradlon", cyn bo nhw'n Cymuno, a'r ddou deulu ar fynd ma's, fe a'th y trydan *off*.'

'A fuo dim Cymundeb?'

'O'dd hi'n d'wyllwch 'na. A gan mai Gwaith y Mynydd Mowr o'dd yn gofalu am drydan i'r capel a nhad yn swyddog yn y gwaith, o'dd rhai yn gweud taw 'nhad, o'dd wedi troi'r gole ma's yn y *power house*. Ond fe

---

Yn ystod 1928-9 roedd Sam Jones (B.B.C. a'r 'Noson Lawen' yn nes ymlaen) yn crwydro addoldai Cymru i brofi'r arlwy - math o *Taste Test* crefyddol - ac yn cyhoeddi ei adwaith yn y *Western Mail* o dan y pennawd *Sunday Sketches in Wales*. Ar y trydydd o Fehefin 1928 fe dreuliodd Sul ar ei hyd yn Ebeneser a chyhoeddi ei bortread yn y *Mail* y bore Sadwrn canlynol: 'Euthum i'r Tymbl yn disgwyl pethau mawr; fe'u cefais.' Roedd o wedi sgwennu dros hanner cant o bortreadau cyffelyb cyn cyrraedd y Tymbl ond yn barod iawn i dystio mai'r 'Sul diwethaf oedd yr hapusaf i mi ei dreulio ers i mi ddechrau ar y daith hon flwyddyn yn ôl'. Yn wir, roedd pregeth Tom Nefyn yn ystod oedfa'r nos yn ddigon i gynhesu calon newyddiadurwr cymedrol a drysu rhediad ei feddwl: 'Roedd yna adegau yn ystod araith Tom Nefyn pan orfodwyd fi i roi'r bensil a'r llyfr nodiadau o'r neilltu. Roedd rhywun yn cael ei gario ymaith gan lifeiriant ei eiriau.'

19. Ebeneser, Y Tymbl.

Gan ddechrau o'r cefn ac o'r chwith i'r dde: Ifan Jones; John Thomas; Emrys Thomas; Evan Roberts; David Evans; Llew Owen; Willie Thomas; Sidney Evans; David Jones; Griff Jones; Edwin Evans; John Evans; Danny Thomas.
Ben Jones; Ben Phillips; Willie Rees; Ceri Evans; Lilian Owen; Dilys Jones; Megan Evans; Gwyneth Rees; Ethel Smith; Jenny Thomas; —; Nellie Jones.
Mrs. Jones; Margaret Griffiths; Mrs Ted Jones; Mrs Edwin Evans; Ceri Nefyn Williams; Margretta Rees; Lettie Roberts; Ann Evans; Sephora Jones; Maggie Jones; Maggie Griffiths; Jennie Jones; Lloyd Morgan.
Owen Owen; Sara Jones; Lettuce Anthony; Mrs. Owen Nicholas; Bridget Thomas; Margaret Thomas; Parch. Tom Nefyn Williams; Catherine Roberts; Mrs Ben Phillips; May Howells; Mary Rees; Mabel Jones.
Idwal Jones; Tom Jones; Ted Jones; Tom Thomas; Tom Evans; Joe Owen; Sidney Jones; John Evans; Trefor Jones; Evan Rees Griffiths.
Elwyn Evans; Cyril Evans; Tommy Edwards; E. P. Jones; Tom Jones; William David Evans; Emlyn Evans; David Jones.

ffendion nhw ma's, nes 'mla'n, taw yn y capel ro'dd y diffyg. O'dd marc du ar y mur lle ro'dd y gwifre wedi llosgi.'

Fel y nodwyd, ar ambell nos Sul, roedd Ebeneser yn rhy fach i ddal y gynulleidfa a'r addoliad yn cael ei gynnal ar Gae Llety, cae rygbi'r Tymbl ar y pryd. Barn Gweinidog Bethesda am hynny, yn ôl Ieuan Davies, oedd 'Mm . . . Phara nhw ddim yn hir'. Ac fe ddaeth y broffwydoliaeth honno - pa ysbryd bynnag oedd tu cefn iddi - i ben, a hynny'n weddol fuan. Cyn pen deunaw mis roedd rhai o flaenoriaid Ebeneser, y Tymbl, wedi ymddiswyddo a chwynion am y Gweinidog wedi'u hanfon o'r Cyfarfod Dosbarth lleol i ystyriaeth ceffylau blaen Henaduriaeth De Caerfyrddin. Fe aeth yr Henaduriaeth ati, ar unwaith, i geisio rhoi'r tŷ mewn trefn a methu'n llanast.

7. RHOI RHAGOR O LO AR Y TÂN

Y glo caled roddodd fod i'r Tymbl ac addewid o gyflog am ei ddwyn i'r wyneb dynnodd bobl yno. Fe suddwyd sawl pwll yn y fro ond erbyn dyddiau Tom Nefyn gwaith glo y Mynydd Mawr, *Great Mountain*, oedd y prif gyflogwr a'i hwter ar ddechrau a diwedd shifft yn rheoli symudiadau bron bawb o'r pentrefwyr.

Pan symudodd Tom Nefyn i'r Tymbl roedd y rhan fwyaf o byllau glo De Cymru yn rhedeg ar golled. Ateb Cwmni *Amalgamated Anthracite*, perchenogion y Mynydd Mawr, fel cwmnïau eraill a Llywodraeth y dydd, oedd tynnu'r cyflog i lawr a diswyddo rhywsut, rhywfodd. Roedd yna streic ffyrnig wedi bod yn ardaloedd y glo caled yn ystod Awst a Gorffennaf 1925 a bron i ddeucant o lowyr wedi'u dwyn o flaen y llysoedd a nifer ohonyn nhw wedi'u carcharu - rhai am dymor oedd yn ymddangos yn annheg o faith. Un Sul, wedi oedfa'r bore, bu'r Gweinidog newydd a'i flaenoriaid yn trafod hyn a phenderfynwyd, ond drwy fwyafrif yn unig, i

20. Mynd ar waith glo y Mynydd Mawr.

High Street, Tumble

21. Stryd Fawr y Tymbl, tua 1925.

roi'r peth ger bron y gynulleidfa ar derfyn oedfa'r nos ac anfon protest at yr Ysgrifennydd Cartref.

'Does gen i'r un prawf beth oedd rhaniad y bleidlais yn y sêt fawr ond synnwn i ddim mai pump yn erbyn tri oedd hi os oedd yr wyth blaenor yn bresennol. Roedd dau ohonyn nhw - T. J. Morgan a William Jones - mewn swyddi gweinyddol yn y pwll ac yn debyg o fod yn dal safbwynt y perchenogion ac un arall - James Thomas - yn siopwr llwyddiannus yn y pentref . Glowyr a gweithwyr cyffredin oedd y pump arall ac yn debyg o fod yn falch fod y Gweinidog yn cefnogi rhai garcharwyd ar gam. 'Cododd yr holl gynulleidfa ei deheulaw o blaid y gwrthdystiad', meddai Tom Nefyn yn ei hunangofiant, ond rydw' i'n ei chael hi'n anodd i gredu fod **pob** llaw wedi'i chodi; mae cyfri dwylo ar antur yn beth mor dwyllodrus â chyfri defaid ar niwl.

Yn ystod Streic Fawr 1926, a barodd am saith mis, fe aeth Tom Nefyn i fyny i'r Gogledd i gynnal cyngherddau. *'Ford* clytiog' oedd y tacsi ac mae Glyn Anthony yn awgrymu mai pum glöwr aeth i mewn i hwnnw a theithio i'r Gogledd i gyfarfod Tom Nefyn, ond fe godwyd cymaint â £275 at y gegin gawl yn y Tymbl oedd yn bwydo tua 400 y dydd.

Hanner ffordd rhwng y mans ac Ebeneser roedd yna gant o dai o bobtu'r

22. Y Tymbl yn y gogledd. Y cwmni drama ar daith gasglu, 1926.

Rhes gefn: –; Jack Rees; Caradog Owen; Stanley Hopkins; Jos Thomas; Wat Rogers.
Rhes flaen: Peter Edwards; Tom Nefyn Williams; G. M. Ll. Davies; Ted Jones; Sidney Evans; Robert Davies; Edgar Jones.

ffordd fawr. *Tumble Row* oedd yr enw ddechrau'r ganrif ond *High Street* oedd enw'r lle erbyn y dauddegau - a thai wedi'u twmblo at ei gilydd, ffwrdd â hi, rhywsut rhyfodd, oeddan nhw. (Mae hi'n anodd iawn credu hynny wrth edrych ar y tai heddiw wedi'u hehangu a'u tacluso.) 'Tai'r cwmpni' oedd *Tumble Row*, wedi'u codi gan berchenogion y gwaith glo yn gartrefi parod ar gyfer y gweithwyr oedd yn tyrru o'r wlad i'r lofa. Erbyn 1925 roedd y tai wedi dirywio'n enbyd a'r cwmni yn amharod i wneud unrhyw waith cynnal a chadw arnyn nhw.

Gydag agwedd wahanol, roedd hi'n bosibl i D. J. Lewis gerdded heibio o Frynhyfryd i'w hoff Fethesda yn ei ffrog côt, a blodyn yn ei frest, yn swingio'i ffon ac yn codi llaw ar hwn ac arall. (Arall oedd ei ddull o gynorthwyo'r tlodion, ac fe wnaeth lawer o hynny.) Ond nid Tom Nefyn. Wedi archwilio cyflwr pob tŷ fe anfonodd gopi o'i adroddiad i holl reolwyr a chyfranddalwyr *Amalgamated Anthracite* yn ogystal â chysylltu â'r Bwrdd Iechyd yng Nghaerdydd. Fe atgyweiriwyd y tai. Ond roedd hynny flynyddoedd yn ddiweddarach.

Yn *Yr Ymchwil* mae o'n cydnabod mai un o'i fwriadau yn ystod ei weinidogaeth gynnar yn y Tymbl oedd 'lincio pobl y Chwith mewn gwleidyddiaeth eilchwyl wrth yr Eglwys' a'u denu nhw'n ôl i'r gorlan. Roedd hi'n bwysig felly ei fod o'n dangos ei ochr yn gyhoeddus.

Chwedl ddiddorol ydi'r un am y clap glo. Fe'i clywais hi fwy nag unwaith pan oeddwn i'n holi trigolion y Tymbl. Fe holais i Margaret Morgan i ddechrau.

'Ydi hi'n wir y bydda' fo'n rhoi clap glo ar y plât bara adag y Cymundeb?'

'Sa' i'n gweud 'i fod e wedi 'i roi e. Ond o'dd e'n gweud y dylid i roi e, ambell waith, fel arwydd o aberth y glöwr.'

Ond arall oedd atgofion Elsie Roberts. 'O'dd Cwrdd Diolchgarwch yn Ebeneser a o'dd e'n moyn dodi cnepyn o lo gyda'r blode i ddangos aberth o'dd y glowyr wedi 'neud. Beth o'dd yn rong 'da 'na?'

23. Y Tymbl yn y gogledd eto. Gwersylla ger Afonwen.
Rhes gefn, o'r chwith i'r dde: Tommy Edwards; –; Trefor Jones.
Rhes ganol: Emrys Thomas (gweler tud. 37); Tom Nefyn; Sidney Evans.
Rhes flaen: Sidney Jones; bachgen lleol, o bosibl, gyda 'Shiwdlyn' y ci 'adawsai doctor o New Zealand ar ei ôl . . .'; Jason Evans.
(Tynnwyd gan E. P. Jones.)

8. YR 'HERETIC'

Wedi i Henaduriaeth De Myrddin fethu â thawelu pethau fe benderfynodd Cymdeithasfa'r De, llys uwch, chwilio pac Tom Nefyn a'i holi am ei gred. Ynghanol ei holl brysurdeb fe aeth yntau ati i sgwennu maniffesto, wythdeg tudalen, yn cofnodi'i syniadau am yr athrawiaethau traddodiadol ac am fywyd eglwys. Dogfen breifat oedd *Y Ffordd yr Edrychaf ar Bethau* i fod, i ystyriaeth y pwyllgor benodwyd gan y Gymdeithasfa i ystyried ei achos. Ond fe benderfynodd Tom Nefyn ofyn i Swyddfa'r *Cymro* yn Nolgellau argraffu 'stoc o'r Maniffesto' er mwyn i bob aelod o'r pwyllgor gael copi, gan dalu am y gwaith o'i boced ei hun. Rhaid credu mai dyna oedd ei unig fwriad, fel y noda yn ei hunangofiant. Wrth gwrs, greddf rhywun fel fi, petawn i o dan fygythiad, fyddai anfon un copi i ysgrifennydd y pwyllgor ac i hwnnw wedyn, os oedd o'n gweld hynny'n angenrheidiol, argraffu rhagor o gopïau. Ond nid gŵr cyffredin mo Tom Nefyn ac roedd ei ymateb

24. Tom Nefyn y *Western Mail*, 20 Ebrill 1928.

mor aml yn annisgwyl o wahanol. Bwriadol neu beidio, fe dorrwyd yr embargo ac erbyn bore Mercher, 28 Mawrth 1928, roedd y stori wedi cyrraedd tudalennau'r *Western Mail*. Fe alla' i ddychmygu aelodau Pwyllgor y Gymdeithasfa, wrth ddarllen y papur boreol, yn araf ffyrnigo uwchben y bacwn ac wy, a'r tost a'r marmalèd

Mae rhan o'r maniffesto'n cynnwys syniadau newydd a radical am bethau fel aelodaeth a disgyblaeth eglwysig ac yn dadlau dros roi cyfeiriad newydd a gwahanol i gyfarfodydd arferol y capeli ymneilltuol. Ond nid dyna oedd y prif faen tramgwydd. Hyd y gwn i, wnaeth pwyllgor y Sasiwn ddim cymaint â chodi'r sgwarnogod hynny. Fel yr awgrymwyd ar ddechrau'r gyfrol, pan aeth Tom Nefyn ati hi i restru'r athrawiaethau traddodiadol, conglfeini *Cyffes Ffydd y Methodistiaid Calfinaidd*, luniwyd yn 1823, a'u gwadu fesul un ac un - Duw, person Crist, yr Ymgnawdoliad, y Drindod, y Groes a'r Atgyfodiad, gweddi, y gwyrthiau, yr Ysgrythurau Sanctaidd a'r Bywyd Tragwyddol - fe dynnodd o'r mat o dan ei draed a chael ei ystyried yn heretic.

Meddai ar ddiwedd *Y Ffordd yr Edrychaf ar Bethau*: 'Wedi i mi osod fy meddyliau yn flêr a brysiog o'ch blaen, gadawaf i chwi farnu . . . Ac os na elwir fi yn Fethodus, credaf na all neb fy ngalw yn bagan. A bod yn Gristion yw fy nelfryd, ac nid medru cario label enwadol. Beth byrnag fydd fy nhynged ar lawr y Sasiwn, taflaf bob dawn, nerth, munud a meddwl ar allor y Deyrnas Gristnogol . . .'

Dr Owen Prys, Prifathro'r Coleg Diwinyddol yn Aberystwyth, ddewiswyd yn llywydd i'r pwyllgor ymchwil. Roedd o'r farn fod Tom Nefyn, nid yn unig yn gwadu'r pethau y cytunodd â nhw wrth gael ei ordeinio'n weinidog gyda'r Methodistiaid Calfinaidd (er mai dan brotest a thrwy gael ei gymell y gwnaeth o hynny) ond ei fod o'n ymwrthod â'r gwirioneddau mawr oedd wedi bod yn 'rhan hanfodol o gyffes gyffredinol yr Eglwys' o'r dechrau un.

'Doedd gan Tom Nefyn yr un gŵyn yn erbyn ei 'farnwr', nac yn erbyn yr un aelod o'r pwyllgor, a hyd y gwn i, ni lefarodd air angharedig am neb ohonyn nhw. Ond 'doedd pob gweinidog a blaenor ddim yn gwisgo menig, o bell ffordd. Yn wir, roedd yna rai gweinidogion i'w gweld yn arwain yr ymosodiad. Un o'i wrthwynebwyr lleol oedd y Parch. Samuel Evans, gweinidog Cwmdwyfran, ac ymosodwr amlwg arall oedd y Parch.W. W. Lewis, Abertawe - un o ffwndamentalwyr mawr y dydd a fynnodd gadw'r drws mor dynn â phosibl i'r diwedd. Ond hwyrach mai'r dadleuwr ffyrnicaf ohonyn nhw i gyd oedd y Parch. T. F. Jones, y Gopa, Pontarddulais a lwyddodd i halltu'r briw dro ar ôl tro. Mewn llythyr yn y *South Wales News*, 17 Ebrill 1928, teimlai fod y Sasiwn, os beth, yn dangos gormod trugaredd: *'If it erred at all, it erred on the side of toleration, patience and Christian charity . . .'*.

Arall oedd barn amryw o arweinwyr yr enwadau ymneilltuol, yn ogystal â rhai Cymry amlwg. Ymhlith *Papurau E. Morgan Humphreys* yn y Llyfrgell Genedlaethol mae yna lythyr anfonodd Tegla ato, dyddiedig 16 Ebrill 1928. Meddai: 'Cyn belled ag y mae ei gredu yn y cwestiwn ni welaf ddim llawer i ddychryn rhagddo. A phregethir llawer o'i ddaliadau ym mhulpudau bron bob enwad.' Ond hwyrach mai R. T. Jenkins wnaeth y sylw mwyaf cignoeth o bob un, pan awgrymodd yn rhifyn Haf 1928 o'r *Llenor*, y gwyddai pobl 'am lawer gweinidog y gellid ei hepgor yn llawer haws na'r gŵr selog a gweithgar hwn'! Ac roedd hynny'n sicr o fod yn wir.

Gweinidog gydag amheuon gwirioneddol am yr hyn y disgwylid i weinidog ei gredu oedd Tom Nefyn yn nyddiau'r Tymbl. Meddai ar derfyn *Y Ffordd yr Edrychaf ar Bethau*: 'Pwysicach yw gwirionedd na phoblogrwydd; gonestrwydd mewn ymchwil feddyliol na swydd; achubiaeth enaid gwlad na chlod neu anghlod'. Chwilio am y gwirionedd roedd o ar y pryd ac fe fu'n chwilio'n ddyfal am hwnnw, hyd y gwela' i, gydol y daith.

Ond os mai un yn chwilio oedd o, hwyrach mai camgymeriad ar ei ran oedd cyhoeddi maniffesto cymalog, hirfaith, yn chwalu'r hen sylfeini mor llwyr a chan gyhoeddi syniadau gwahanol gyda chymaint pendantrwydd. Ond mae'n cydnabod nad oedd y ddogfen yn ddim byd mwy na'i syniadau 'ar y pryd' ac ychwanegu, yn ddigon gonest, 'Efallai nad o'r safbwynt yma yr edrychaf ar bethau yn y dyfodol . . .'. A newid ei feddwl wnaeth o, tu chwith allan, cyn pen tair blynedd.

9. NANTGAREDIG ANGHAREDIG

Roedd 28 Awst 1928 yn ddiwrnod hynod o braf a'r dydd Mawrth hwnnw fe heidiodd cannoedd i Ddyffryn Tywi: nifer ar drenau neu mewn cerbydau, rhai hefo poni a thrap ac amryw ohonyn nhw ar feic neu ar draed.

Erbyn awr y dyfarnu roedd capel 'dal tri chant' Nantgaredig yn beryglus lawn, ac fel ffwrnes o boeth: y swyddogion yn y sêt fawr, cynrychiolwyr y gwahanol henaduriaethau'n llenwi llawr y capel, a'r gweddill ohonyn nhw wedi'u hysio 'lan llofft' yn unol â chyfarwyddyd pendant ceidwad y drysau. Ar ffrynt y galeri, yn sioncach eu brethyn a blaenau'u pensiliau wedi'u miniogi'n barod ar gyfer cofnodi'r stori, roedd gohebwyr y wasg, yn cynrychioli papurau llwyddiannus fel *Y Cymro* a'r *Western Mail*, y *South Wales News*, *Y Dinesydd* a'r *Daily Herald*.

Cododd Llywydd y Gymdeithasfa, y Parch. Peter Hughes Griffiths, ar ei draed yn ddigon pryderus ei wedd ac yn amlwg anghyffyrddus. 'A yw'r Parchedig Tom Nefyn Williams yn bresennol?' Cododd ei olygon i chwilio am y gweinidog ifanc roedd ei alwedigaeth yn y fantol a methu â tharo'i lygaid arno am foment. Yna, fe'i gwelodd, ar y dde ym mhen pellaf yr oriel – o bobman. 'Mistyr Williams, 'newch chi ymuno â ni yn y fan hon, yn y sêt fawr?'

'Os ma' dyna'ch dymuniad chi.'

'Fe gofiwch, Mistyr Williams, i chi addo, wedi'r Gymdeithasfa yn Nhreherbert fis Ebrill diwetha', naill ai ymddiswyddo neu gytuno â safonau ein Cyfundeb.'

'Barchus Lywydd, fedrwch chi ddeud wrtha' i beth ydi'r safonau?'

O ran ei wisg a'i ymddangosiad, 'doedd yna ddim o'r protestiwr yn y gweinidog ifanc, tair ar ddeg ar hugain oed, lled dal, ysgafn o gorff, oedd yn sefyll yn y sêt fawr. Roedd o'n gwisgo siwt dywyll, gyda gwasgod uchel yn cau hyd at y tei ac roedd o'n moeli'n ifanc fel y gweddai i weinidog 'Methodus'.

'Yr ydych, yn awr, am gael trafodaeth ar y cwestiwn.'

'Dydw i ddim ond yn gofyn am yr hyn sy'n deg.' Tu ôl i fasg gostyngeiddrwydd roedd yna wydnwch un fu'n filwr yn y Dardanelles a gwlad Canaan, a chryn rym penderfyniad.

Anwybyddwyd y farn leol, ac fe deimlodd Tom Nefyn hynny i'r byw. Meddai o yn ddiweddarach: 'Dim gair am y brotest yn erbyn carcharu'r glowyr, na'r ymwingo am atgyweirio'r Stryd Fawr. Dim gair am gychwyn y mudiad i adennill i grefydd rai a roesai eu holl ymddiried yng ngwleidyddiaeth y Chwith, nac am yr ymgais bersonol aflêr a distadl i ddilyn Iesu Grist.' Ond i ryw raddau Tom Nefyn ei hun oedd yn gyfrifol am hyn. Y fo fynnodd yrru'r frwydr i'r penrhyn yma drwy gyhoeddi *Y Ffordd yr Edrychaf ar Bethau* a hawlio bod y Sasiwn yn datgan barn am ei syniadau diwinyddol yn hytrach na'i lafur cymdeithasol.

Penderfynodd y Llywydd – un heddychol ei ysbryd yn ôl pob tystiolaeth – dynnu'r drafodaeth i'w therfyn, 'Frodyr a Thadau, yr unig ddewis sy'n agored i mi yw rhoi penderfyniad y Pwyllgor gerbron y Gymdeithasfa: "Bod y Parchedig Tom Nefyn Williams, hyd oni fyddo'n abl i gytuno â'n safonau fel Cyfundeb, i'w ddiswyddo o waith y weinidogaeth yn ein mysg, gan obeithio y bydd y cyfnod o ymddiswyddiad yn gymorth iddo geisio'i le yn ôl a'i adfer i waith y weinidogaeth".'

Cododd coedwig o ddwylo o blaid y cynnig.

'A faint sydd yn erbyn?'

Aeth deiliaid y sêt fawr ati i gyfri rhwng eu dannedd, rhag bod yna unrhyw amheuaeth am ddilysrwydd y penderfyniad yn nes ymlaen . . . saith, wyth, naw . . . m . . . deg.'

'Frodyr a Thadau, mae'r cynnig wedi'i dderbyn, yn unfrydol bron.'

Dechreuodd y gynulleidfa drydar yn uchel.

'Frodyr a Thadau, ga' i ofyn i'r Hybarch William Prytherch, Abertawe, ein harwain ni at Orsedd Gras?' Fel gweinidog da i Iesu Grist, fe wyddai'r Parch. Peter Hughes Griffiths nad oedd dim hafal i weddi daer i ladd gwrthryfel. Cyn i'r 'Hybarch William Prytherch' fedru ymlwybro'n ôl i'w sedd roedd Tom Nefyn ar ei draed.

'Dair blynedd ar ddeg yn ôl, ia i'r mis hwn, ro'n i'n filwr yn ymladd yn *Sulva Bay* ac ar *Chocolate Hill*. Bryd hynny, roedd Crist wedi'i wadu yng Nghymru ond ddaru **chi** ddim codi'ch llais!', a cherdded allan.

'Frodyr a Thadau, os gwnewch chi aros yn eich seddau, fe awn ni ymlaen â'n gweithrediadau.'

Ond roedd rhaid i ohebwyr y wasg ruthro am eu cerbydau. Wedi Sasiwn enwog Nantgaredig roedd 'helynt Tom Nefyn' yn blastr ar y tudalennau blaen a'r penawdau trymion yn rhoi sioc i'r saint: 'Brwydr yr Hen a'r Newydd' . . . 'Cwestiynau Nas Atebwyd' . . . ebe *Baner ac Amserau Cymru*; '*Tom Nefyn to Resign*' meddai'r *Western Mail*.

Rhwng popeth roedd mis Awst 1928 yn un digon tymhestlog. Bedair awr ar hugain union yn gynharach roedd Archesgob Caer-gaint, Randall Davidson, wedi cyhoeddi'i ymddiswyddiad yntau, yn isel iawn ei ysbryd yn ôl adroddiadau'r wasg; fis ynghynt roedd Tŷ'r Cyffredin wedi gwrthod ei awgrym i gyfoesi'r *Llyfr Gweddi Cyffredin*. A'r mis Awst hwnnw roedd yna rai miloedd o Gymry yn darllen *The Withered Root,* nofel gyntaf Rhys Davies, y llenor Eingl-Gymreig – stori am seren-bregethwr ddiffoddwyd cyn pryd oedd thema'r nofel honno. Roedd yna amryw yn holi ai dyna, tybed, fyddai tynged Tom Nefyn wedi Sasiwn Nantgaredig?

10. Y CLOI ALLAN

Ar y Sul cyntaf o Fehefin 1928 fe hysbysodd Tom Nefyn ei eglwys y byddai'n ymddiswyddo ar yr ail Sul ym Medi, i roi cyfle i'r 'dŵr yn ei biser waelodi' a chyda'r bwriad o fynd i Loegr i ddilyn cwrs mewn seicoleg, ond y Sul canlynol fe bleidleisiodd yr eglwys, gyda mwyafrif mawr – chwech oedd yn erbyn, yn perthyn i ddau deulu – i wrthod yr ymddiswyddiad hwnnw.

Fe wrthododd Tom Nefyn gyfarfod sefydlu a 'sosial' ar ddechrau'i weinidogaeth, ond fe gafodd o'r 'blwmonj a'r bara brith' adeg y cyfarfod ymadawol. Ar bnawn Sadwrn y bu'r te parti hwnnw, pan oedd y glowyr â hanner diwrnod o hamdden o'r lofa, a'r cyfarfod ffarwelio'n dilyn yn yr hwyr. Wedi sôn am bregethu eneiniedig y Gweinidog, a'i lafur diarbed yn yr eglwys a'r gymdeithas oddi allan, ac fel bu 'Mrs Williams' (dwy ar hugain oedd hi) yn gefn i'w phriod, cyflwynwyd yr anrhegion arferol iddyn nhw: anerchiad addurnedig wedi'i fframio i Tom a set o lestri te i Ceri. Pan gododd y Gweinidog i gydnabod y rhoddion a'r geiriau caredig roedd dagrau'n agos, ond fe'u hanogodd nhw i dyfu yng Nghrist ac i 'aros wrth eu hen allor'. Yn ogystal, ym meddiant ei fab, Nefyn, mae yna wats aur, *half-hunter* hardd ryfeddol ac ar ei chaead mae'r geiriau: 'I'r Parch. T. Nefyn Williams gan Edmygwyr y Tymbl Medi 1928'.

Yr ail Sul o Fedi oedd cyhoeddiad olaf Tom Nefyn yn y Tymbl. Fe lwyddwyd i gynnal yr oedfa blant yn y bore oddi mewn i'r capel, er i'r blaenoriaid orfod cefnu ar y sêt fawr i wneud lle i gerddorfa oedd yn cynnwys ffliwt a ffidil, clarinét, trwmped ac offerynnau eraill, ond roedd oedfa'r nos yn stori wahanol. Yn ôl stori bapur newydd roedd yno gynulleidfa o 4,000. O leiaf, fe fu raid cerdded y gynulleidfa o'r capel i'r cae rygbi lleol ac addoli yn yr awyr agored. Roedd y pregethwr, mae'n amlwg, wedi dewis testun ei bregeth olaf yn fwriadol ofalus – dameg y Mab Afradlon! Yn rhyfedd iawn, swm y casgliad a'r dull o'i gasglu sy' wedi glynu yng nghof Elsie Roberts. Mae hi'n cofio'r hetiau'n mynd o law i law, a'r casglyddion yn tywallt £40 i 'badell gochen', chwedl hithau.

Yn union wedi'r grand slam ar Gae Llety fe lwyddodd y Cyfundeb i gicio'r bêl i'w gôl ei hun. Ar yr ail o Hydref, fel un gic derfynol, fe benderfynodd Henaduriaeth De Caerfyrddin ail drafod achos Ebeneser y Tymbl a thrwy fwyafrif bychan fe gytunwyd i ddatgorffori'r eglwys ac yna

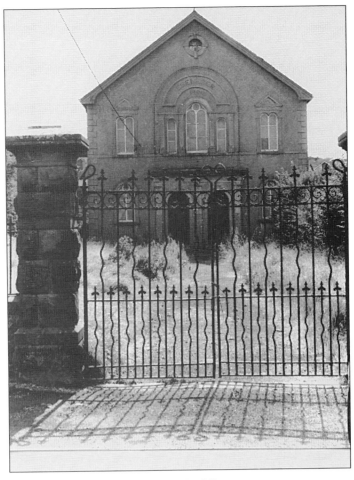

25. Ebeneser y Tymbl 'a'r giatiau wedi'u cloi'.

ail dderbyn yr aelodau yn ôl ymhen pythefnos i dair wythnos. Fe aeth yr Henaduriaeth gam ymhellach na hynny. Y Sul canlynol, pan gyrhaeddodd yr aelodau ar gyfer oedfa'r bore, roedd y drysau a'r giatiau wedi'u cloi ac fe gafodd y papurau lleol, fel y *Llanelly Mercury* a'r *Carmarthen Journal*, benawdau heb orfod chwilio amdanyn nhw: 'Chapel Gates Locked' . Roedd cadwyno'r giatiau'n weithred eithafol dros ben ac yn enghraifft wych o luchio'r babi allan hefo'r dŵr molchi.

Ddaeth pedair rhan o bump o'r aelodau ddim yn ôl at 'eu hen allor' wedyn. Fe ddiarddelwyd aelodau nad oedd a wnelo nhw ddim oll â'r cweryl. Pan ddaeth gweinidog a blaenor i Ebeneser ymhen pythefnos, i ddatod y cadwynau, tua 50 yn unig ofynnodd am eu lle'n ôl, ac yn ôl Margaret Morgan 19 oedd yn oedfa'r hwyr. Na, fu dim galw am fenthyg y cae rygbi y noson honno, na'r un nos Sul arall o hynny ymlaen. Mae yna gwestiynau eraill heb eu hateb: er enghraifft, ar ba dir roedd yr

53

26. Cadw-mi-gei. Nefyn y
mab hynaf, 1998, a'r
cadw-mi-gei a gafodd
wrth adael y Tymbl yn
flwydd oed.

Henaduriaeth yn eu derbyn nhw'n ôl a be' yn union oedd cymhellion y rhai ddychwelodd? Go brin fod pob un o'r hanner cant wedi newid diwinyddiaeth o fewn pythefnos.

Roedd dyddiau olaf Tom Nefyn yn y Tymbl yn rhai dwys a chofiadwy ac fe lwyddodd yntau i gyfleu'r pathos hwnnw i'r dim ar ddiwedd y bennod 'Poblogrwydd ac Unigrwydd' yn ei hunangofiant: ei wraig a'u mab blwydd oed, Nefyn Goronwy, wedi mynd i Goedpoeth at ei deulu yng nghyfraith ac yntau'n gwersylla yn y tŷ gwag gyda 'dau focs, un i mi'n fwrdd a'r llall i eistedd arno'. Mae o'n sôn am werthu'r dodrefn o law i law. Yn wir, mae'r stand dal ambarelau brynodd Elsie Roberts, yn wraig briod ifanc, yn dal ganddi. Mae disgrifiad Tom Nefyn ohono'i hun yn marchogaeth i'r machlud mor felodramatig â diweddglo unrhyw ffilm epig: 'A byth nid anghofiaf am fore'r ffárwel. Mr Willie Rees yn galw amdanaf yn y tŷ gwag, di-ddodrefn. Y siwrnai yn y cerbyd i Lanelli. Rhwyd sidan yn ymddatod, o gwlwm i gwlwm. Yntau yn fy hebrwng cyn belled â Chaerdydd. Y gwasgu oediog ac annwyl pan ysgydwai law â mi. Yr eiliad o fethu siarad, a'i ddagrau distaw hyd ei wyneb. Yna'r gwahanu, a'r trên a'r stesion yn symud yn bellach, bellach oddi wrth ei gilydd. Dim ond ffigur unig â'i gefn at y bobl, a'm mynwes innau'n ferw prudd. Efô'n troi'n ôl i'w gartref wrth y Wendraeth, a minnau'n mynd i lety ym Mhen Llŷn.'

11. 'LLE I ENAID GAEL LLONYDD'

I Aberdaron ym mhen draw Llŷn yr aeth Tom Nefyn wedi iddo golli'i hawliau fel gweinidog. O gael fy ngeni a'm magu ar y penrhyn pell hwnnw, a threulio peth o'm plentyndod yn Aberdaron, rydw' i'n weddol sicr i Tom Nefyn gael croeso cynnes gan drigolion yr ardal ac iddyn nhw ddygymod â'i bresenoldeb o'n gwbl naturiol. Mae'n siwr iddyn nhw 'i wylio fo'n mynd a dwad i'r eglwys blwy sy' am y pared â'r môr, a thrafod, yn ei gefn o, fel roedd o'n treulio oriau yn Sant Hywyn, yn eistedd mewn tawelwch neu'n darllen o'r Beibl agored oedd ar y ddarllenfa. Synnwn i ddim na fu un neu ddau ohonyn nhw'n gwrando wrth ddrws yr hen eglwys, a'i glywed o'n canu *Tôn y Botel* neu *Cwm Rhondda* i gyfeiliant yr hen organ *Christophe* a'i fariton hyfryd yn cael ei foddi gan y tonnau yn torri ar y traeth.

27. Bob Jones, 'Bryn Eglur'.

28. Ar draeth Nefyn, Awst 1928, wedi'r troi allan. O'r chwith i'r dde, John Jones, perchennog y cychod 'John' a 'Mêr'; John Roberts, 'Bono' a John Squires, nai John Jones.

Gydag Ann a William Jones, ei gŵr, roedd o'n lletya, yn Nolfor, Aberdaron. Fe fûm i'n dyfalu beth tynnodd o i'r cartref hwnnw nes i mi fynd ati i ddilyn y dderwen deulu a darganfod fod Ann yn ferch i Mary, Cadlan Isaf, ac felly'n gyfnither i Tom.

Ond fe fyddai'n dychwelyd i'r Tymbl ar ei hald ac mae'n ddiamau y byddai'i ymddangosiad o yn creu cyffro a thyndra yn y pentref. Ar 19 Mai 1929 bu farw Emrys, y bachgen fu'n annerch y seiat, yn 31 mlwydd oed, wedi dymuno i'w arwr mawr arwain y gwasanaeth angladdol a chael ei gladdu yn yr un bedd â'i fam a'i frawd ym mynwent y capel. Yn ôl Bob Jones, Bryn Eglur, llysfrawd Emrys, roedd Tom Nefyn, nid yn unig wedi ennill calon Emrys ond un ei dad, John Thomas, yn ogystal: 'O'dd 'nhad yn licio 'i beint. A fydde Tom Nefyn yn dod i'n tŷ ni a gofyn iddo fe pam o'dd e ddim yn dod i'r capel. A 'nhad yn dweud y bydde fe'n dod y Sul nesa', ond o'dd e ddim yn dod. O'r diwedd fe dda'th e lan â car i'r tŷ, i'w nôl e. A thalu i'r tacsi o'i boced ei hunan.'

Ond os mai eiddo'r enwad oedd y fynwent, a bod Tom Nefyn wedi'i wahardd i 'chwarae unrhyw ran ym mywyd cyhoeddus y Cyfundeb', oedd hi'n bosibl iddo barchu dymuniad y teulu heb i gyfraith gael ei thorri? Roedd sôn y byddai'r Henaduriaeth yn cloi'r clwydi unwaith eto a phobl ifanc y pentref wedyn yn eu codi nhw oddi ar eu colynnau a phobl yn mynnu'u ffordd at y bedd.

Fe ddaeth y wasg yno, wedi synhwyro bod rhagor eto o 'filltiroedd' yn stori'r Tymbl. *'There were thousands of people present'*, meddai gohebydd gobeithiol y *South Wales News*. Ond, bu Tom Nefyn yn ddigon doeth i gynnal y gwasanaeth tu allan i borth y fynwent gan ladd y stori bapur newydd yn y fan ac arbed embaras arall i'w Gyfundeb. Gweinidog wedi cadw'i streips, y Parch. Morgan Jones, Ffwrnes, Llanelli, a arweiniodd weddill yr oedfa oddi mewn i furiau'r fynwent a'r côr meibion lleol yn canu 'Gwêl uwchlaw cymylau amser'.

Wedi i Tom Nefyn ymneilltuo i Aberdaron fe aeth un o'i gyfeillion gorau, George M. Ll. Davies, ati i drefnu tysteb genedlaethol iddo ond heb sôn gair wrtho na gofyn am ei ganiatâd. Fe gyhoeddwyd yr apêl yn gyntaf yn *Y Goleuad*, 17 Hydref 1928 – yn Saesneg coeliwch neu beidio – ac yn nes ymlaen mewn papurau fel *Y Darian* a'r *Dinesydd* yn Gymraeg, gydag enwau hanner cant o wŷr amlwg oedd yn ei chefnogi.

29. 'Ie, lle bendigedig oedd
    Coleg *Woodbrooke*, gyda'i
    erddi gwych . . .'
            (o'r *Ymchwil*)

Yn nhlodi diwedd y dauddegau fe gasglwyd yn agos i £700 gan 2,100 o danysgrifwyr: rhai fel David Davies Llandinam, A.S., wedi rhoi top lein o £25; T. Gwynn Jones, y bardd, wedi cyfrannu 10s. 'yn erbyn gofyn i ddim ond un ymddiswyddo', a ffarmwr o Lŷn wedi casglu £17 o fân symiau mewn ffair a marchnad oddi wrth 168 o unigolion. Fe gyflwynwyd y rhodd iddo mewn cyfarfod cyhoeddus yng nghapel Penmount, Pwllheli, ar 25 Mai 1929. Y noson honno, yn annisgwyl iawn, roedd George Davies, a'i frawd Stanley, wedi'u dal yn Enlli gan y tywydd a D. C. Owen, gorsaf feistr Afonwen ac un o edmygwyr mawr Tom Nefyn, lywyddodd y cyfarfod yn ei le. Fe ddefnyddiodd Tom Nefyn ddegwm o arian y dysteb i ddilyn cwrs yng nghanolfan Woodbrooke, sefydliad gan y Crynwyr yn Selly Oak, Birmingham, yn astudio seicoleg (ymhlith pynciau eraill) wrth draed ei arwr mawr, yr Athro W. Fearon Halliday; profiad a phwnc fu'n agos iawn at ei galon o weddill ei ddyddiau.

12. Y TROI'N ÔL

'Doedd hi ddim yn sioc i weinidog Brynbachau a'i braidd pan drodd Tom Nefyn i mewn i'r seiat. Roedd capel Brynbachau, ar fin y briffordd sy'n rhedeg o Borthmadog i Bwllheli, yn un o'r porthladdoedd bychan hynny y byddai o'n hwylio i mewn iddyn nhw ar ei deithiau ledled Cymru i gael egwyl a thanwydd. Ond pan gododd Tom Nefyn ar ei draed ar derfyn y seiat honno a gofyn iddyn nhw'i dderbyn o fel 'aelod cyffredin' bu peth llyncu poeri. Dim ond newydd ei droi allan roedd o am na fedrai gytuno â daliadau'i enwad! Fe fu'r digwyddiad annisgwyl hwn yn syndod, nid yn unig i'r criw bach o ffyddloniaid y seiat yn festri Brynbachau ond i fawrion yr enwad ac i bawb oedd wedi ymddiddori yn saga'r Tymbl.

Cam cyntaf yn y 'troi'n ôl' oedd ymuno ag eglwys Brynbachau. Cyn pen dwy flynedd roedd yna fomsiel gryfach i ddisgyn. Ar y dydd olaf o Ragfyr 1930 fe ymddangosodd ysgrif o'i waith yn *Y Goleuad* o dan y pennawd 'Y Tir Cyffredin', yn datgyffesu'r hyn oedd o wedi'i gredu'n flaenorol: 'Nid yn unig cymedrolwyd fy meddwl am brif gredoau'r Cyfundeb, newidiodd fy osgo at ei drefn yn gyffredinol'.

30. 'Tuhwntrwydd Aberdaron', cerdyn post 1930.

Fe fu hi'n ffasiwn i ddadlau mai tlodi a llwgfa orfododd o i fynd ati i chwilio am 'y tir canol'. Dyna, er enghraifft, oedd barn Iorwerth Peate mewn llythyr personol at E. P. Jones, 9 Ebrill 1929: 'Tom di-alwedigaeth, Tom y wisg lwm (felly y gwelais i ef yn Awst 1930 . . .)' a'i gred oedd, mai 'amgylchiadau economeg' a'i gyrrodd yn ôl at yr Hen Gorff.

Roedd hi'n galed arno fo, mae hynny'n rhwym o fod yn wir; yn ddigyflog a digartref. (Erbyn hyn roedd yna ail blentyn, Gerallt Nefyn.) Rydw' i'n casglu, hefyd, fod y fam ifanc yn dechrau blino ar ei byd; bu'n wael am gyfnod a chafodd driniaeth lawfeddygol. Ymhlith papurau perthynol i Tom Nefyn a helynt y Tymbl yn Adran Llawysgrifau Llyfrgell Coleg y Brifysgol ym Mangor mae yna lythyr, dyddiedig 3 Tachwedd 1930, anfonodd o'r *Beehive* at y Parch. J. H. Griffith, gweinidog y Capel Mawr, Dinbych. Meddai: 'Mae Ceri a minnau wedi dioddef ac wedi colli ein cartref, a hiraethwn am aelwyd i ni ein hunain; a dyna'r boen mwyaf . . .'.

Yr un pryd, yn y Gogledd, roedd nifer fach o weinidogion yr enwad oedd yn fwy nag awyddus i'w gael o'n ôl i'w rhengoedd. Capten y tîm oedd y Parch. W. T. Ellis, gweinidog eglwys y Garth, Porthmadog. Ym mis Medi 1930 fe gynhaliwyd Sasiwn ym Mhwllheli ac, ar y dydd Gwener, roedd yna bregethu gyda thri o'r capeli mwyaf, yn ogystal â Neuadd y Dref, dan eu sang. Nos Sadwrn roedd W. T. Ellis yn pasio drwy'r dref ar ei ffordd i Nefyn

---

Ond er's pedwar neu bum mis, ni chefais lonydd gan Dduw. Cronnai nerthoedd y crisis moesol ac ysbrydol yn raddol. Ac yn ystod yr haf ymddangosodd yr Iesu imi, a cheisiodd adennill y lle canol yn fy mywyd. Ond nid hawdd oedd torri'r crystyn oedd wedi ffurfio'n araf ers 1926, ac ni fedrais wel'd fy ffordd yn glir i blygu i'w apêl. Collais olwg arno eilwaith. Aeth wythnosau heibio, ond ym mis Hydref daeth ataf drachefn. R'oedd yn llawn o greithiau fy mhechod ac o ôl coron ddrain fy ngwadiad yn ystod y cweryl. Curodd wrth ddrws fy nghalon - calon oedd wedi ei chau a'i chloi gan effeithiau'r helbulon anffortunus y bûm drwyddynt. Curodd ddydd a nos, ac mor debyg oedd ei gnoc i'r un a glywswn i ym Mhalesteina yn y flwyddyn 1917! Cyndyn oeddwn i, fodd bynnag, ac ni ildiais i'w alwad yr ail dro. Collais Ef drachefn am

ysbaid o amser, ond dair wythnos yn ôl daeth ataf y drydedd waith, fel Alltud a Gŵr gwrthodedig. Erbyn hyn r'oedd y crisis wedi cyrraedd ei eithafbwynt. Euthum ar fy ngliniau'n syml fel plentyn, a thrwy weddïau taer yn hwyr ac yn fore, a chymorth ysbryd Mrs Williams, fe'i gwnaed yn bosibl imi ailgroesawu'r Iesu i orsedd fy mywyd. Pan ddigwyddodd hynny, euthum drwy broses o "reconsecration", daeth yr Iesu yn ôl yn Allu personol, real, yn fy mhrofiad. Bellach, r'wyf wedi ailddarganfod y peth a gollais yn niwl a llwch y cweryl maith a'r dadleuon diwinyddol.

Dyfyniad o lythyr, dyddiedig 12 Rhagfyr 1930, anfonodd o at E. P. Jones. Fe'i dyfynnir ganddo yn ei ysgrif i'r *Ymofynnydd*.

ar gyfer y Sul ac roedd Tom Nefyn ar waelod Allt Salem, yn y glaw, yn pregethu yn yr awyr agored. Mewn ysgrif yn *Y Goleuad*, 24 Medi 1930, mae W. T. Ellis yn canmol y pregethu ffurfiol glywodd o o bulpudau'r Sasiwn, 'er na phrofwyd dim ysgubol yn yr un oedfa', ond yn credu fod pregethu Tom Nefyn ar y stryd, nid yn unig yn 'glo gweddus i'r oedfeuon' ond yn cyrraedd cynulleidfa wahanol a llawer ehangach, a bod yr Hen Gorff mewn dygn angen am ei athrylith. Yn dilyn yr ysgrif cafodd W. T. Ellis nifer o lythyrau yn gofyn iddo yrru'r maen i'r wal.

Yn 'nhuhwntrwydd' Aberdaron daeth amheuon i feddwl Tom Nefyn Daeth i deimlo mai ei ieuengrwydd a'i anaeddfedrwydd oedd yn rhannol gyfrifol am y cweryl yr aeth o iddi yn y Tymbl. (Eto, roedd dros ddeg ar hugain oed pan aeth i lawr yno ac, ar gyfri'r Rhyfel Mawr, wedi cael dyfnach ysgol profiad na'r rhan fwyaf o weinidogion ei gyfnod.) Yn dilyn yr amheuon fe aeth drwy gyfnod o edifeirwch. Yn y llythyr sgwennodd o at W. T. Elllis, 2 Ionawr 1931, mae o'n nodi un peth yn arbennig: 'A gwaetha'r modd, drwy fy mhwyslais arbennig pan euthum i'r De chwareuais yn ddiarwybod i ddwylo un blaid . . . Gwelsant offeryn brwydr ynof. Ac wrth weld yr ochr Lafurol yn ymgynnull o'm cwmpas, aeth yr elfen ryddfrydol yn f'erbyn.' Dweud roedd o i'r gymdeithas wneud bwch dihangol ohono ac iddo yntau ganiatáu iddyn nhw'i ddefnyddio fo i ddyfnhau a dwysáu

---

Ond o'r holl gwerylon chwilboeth a fu, y mwyaf oedd yr un a godod ar noson cyngerdd yng nghapel Namor. Carneddog oedd arweinydd y cyngerdd. Ymhen yr wythnos disgwylid George M. Ll. Davies, yr heddychwr a'r Cristion, i ddarlithio yng Nghroesor, a chan fod pobl Namor yn gefnogwyr da i bopeth yng Nghroesor gofynnais i Garneddog gyhoeddi'r ddarlith mewn dull go atyniadol. Yr hyn a wnaeth oedd cellwair a malu awyr fod "sgwennu Robin fel traed brain". Cefais y gwyllt. Gwaeddais rywbeth o seddau ôl y capel. Dechreuodd Carneddog ymosod arnaf - rywbeth am "Robin a'i Dom Nefyn a'i George Davies". Yr oedd Tom Nefyn yng nghanol yr helynt yn y De bryd hynny a chefnogwn ef i'r carn. Gwaeddais yn groch a chas dros y capel: "Nid ydych yn deall Tom Nefyn, ddyn". Credai pobl o ochrau Beddgelert nad adwaenai mohonof fy mod wedi meddwi. Ar ôl y cyngerdd arhosais am Garneddog wrth y drws. Aethom ein dau i'r Tŷ Capel. Ymosodais yn eithafol arno a datblygodd yn ffrae fawr rhyngom. Trannoeth, wedyn, ysgrifennais lythyr deifiol ato - llythyr yr wyf erbyn hyn yn difaru imi ei ysgrifennu erioed. Ond beth wnewch chi â dyn gwyllt?

Ar ôl y ffrae honno ni bu Carneddog a minnau ar delerau am flwyddyn gron . . . Daethom wyneb yn wyneb mewn cyngerdd ym Meddgelert ac yno yn gyhoeddus, yng ngŵydd yr holl gynulleidfa, yr ysgwydasom law.

Atgofion Bob Owen Croesor allan o *Bywyd Bob Owen*: Dyfed Evans. Fe ysgrifennodd Carneddog gân hefyd am y digwyddiad.

cwerylon oedd yn ffrwtian tua'r Tymbl ymhell cyn iddo fo erioed gyrraedd y pentref. Roedd o'n ofni hefyd, fel sawl gweinidog ar ei ôl, iddo olchi traed y saint â dŵr rhy boeth: newid pethau'n rhy gyflym ac yn rhy eang, ymosod yn rhy chwyrn ar bethau fel ag yr oeddan nhw gan fod yn anystyriol o argyhoeddiadau pobl eraill.

Yna, fe ddaeth awr y dröedigaeth: ei ail dröedigaeth fawr. Yn y termau yna, a'r termau yna'n unig, mae Tom Nefyn yn dehongli'r hyn ddigwydd-odd yn ei hanes yn niwedd 1930.

Hwyrach mai'r maen tramgwydd mwyaf ar y pryd oedd, nid fod Tom Nefyn wedi cael un dröedigaeth arall ond fod ei holl amheuon diwinyddol wedi cael eu sgubo ymaith mor llwyr ac mor ddiymdroi. I rai roedd y 'troi'n ôl' yn edrych fel bwlch rhwydd i ddianc drwyddo ar adeg anodd. Ond i fod yn deg ag o, roedd o wedi cael cynnig sawl llwybr ymwared arall, haws eu cerdded: ymgeisydd seneddol dros y Blaid Lafur, gweinidog i eglwys 'niferus' gyda'r Annibynwyr yn y Rhondda neu lafurio gyda'r Crynwyr oedd mor agos at ei galon. Gwrthod pob drws agored wnaeth o. Ar ddechrau'r tridegau roedd Tom Nefyn yn ŵr digon dylanwadol i rannu pobl yn ddwy fyddin, hyd yn oed gyda'i brofiadau gorau.

13. LLAIN-Y-DELYN

Ond yn y Tymbl roedd dau gant a rhagor oedd yn ystyried eu hunain yn bobl wedi'u taflu ar y comin gan yr enwad y perthynent iddo a hynny am iddyn nhw ufuddhau i Tom Nefyn. Eu harweinydd oedd E. P. Jones. Mae llythyr personol anfonodd y bardd Gwenallt ato ar drothwy Eisteddfod Genedlaethol Bangor, 1931, yn dangos cryn ragfarn tuag at Tom Nefyn ond roedd o'n sicr yn mynegi teimladau llawer iawn o bobl y Tymbl ar y pryd: 'Blin iawn oedd gennyf glywed am Dom Nefyn. Gwnaeth hen dro brwnt â chwi. Pan welais ef gyntaf y llynedd yn y Bow Street ni hoffais ef.'

Wedi cyfarfod am gyfnod yn yr ysgol leol fe benderfynodd y 'dau gant' fynd ati i godi adeilad pwrpasol am gost o £800. Mae hi'n stori ramantus ddigon, 'adeiladwyd gan dlodi': am gael darn o dir am bris rhesymol gan wraig oedd yn caru'r achos, am lafur cariad glowyr blinedig yn rhofio bryn yn wastadedd ar derfyn shifft nos ac am gasglu arian o dŷ i dŷ.

Fe ddwedwn i mai breuddwyd Tom Nefyn ei hun oedd y Gymdeithas a'r

31. 'Mr. Sainty', Crynwr, yn torri'r dywarchen gyntaf ar gyfer adeiladu Llain-y-Delyn, 1928.

32. Stryd Penparc, *Railway Terrace*, gynt, yn arwain at Llain-y-Delyn, tua 1930.

adeilad: y bensaernïaeth seml, y math o ddodrefn (yn cynnwys y tirluniau o Awstria a mannau eraill brynwyd ganddo i'w rhoi ar y parwydydd), trefn y gwasanaethau anffurfiol oedd i'w cynnal o Sul i Sul, amodau ymaelodi a pherthyn i'r Gymdeithas hyd at ethos y math o addoliad y dylid ym-gyrraedd ato yn y tŷ cwrdd newydd. Yn wir, roedd un o'r ymddiriedolwyr yn awyddus i alw'r lle yn 'Capel Nefyn' o barch i weledigaeth y cyn-Weinidog. Bryn-y-Gwanwyn oedd dewis enw Tom Nefyn ar y dechrau ond fe newidiodd ei feddwl ac awgrymu'u bod nhw'n galw'r adeilad yn Llain-y-Delyn. Ond wedi i Tom Nefyn ail ymaelodi gyda'r Methodistiaid Calfinaidd fe surodd y berthynas.

Fe arweiniodd hyn i chwerwder rhwng aelodau o'r un teulu – tylwyth Elsie Roberts yn un – gyda rhai yn glynu wrth Ebeneser ac eraill yn ymaelodi yn Llain-y-Delyn, a'r ddwyblaid heb siarad â'i gilydd am flynyddoedd. Pa un bynnag, gweddustra a chadw heddwch fu hi nos Sadwrn, 30 Tachwedd 1929, pan agorwyd cartref newydd Cymdeithas Llain-y-Delyn ar heol Tŷ Isa', gyferbyn â'r rheilffordd – '. . . *alongside a mineral railway, and the approach to it anything but inviting*', chwedl y *South Wales Press* y Mercher canlynol – ac o fewn ergyd carreg, yn llythrennol, i gapel Ebeneser. Gan fod dau ddrws i'w hagor cafodd Ceridwen, priod Tom Nefyn, yr anrhydedd o agor yr adeilad yn swyddogol, ar y cyd ag aelod hynaf y Gymdeithas. Y ddau a ddewiswyd i annerch y gynulleidfa drannoeth yr agoriad oedd Dr. Gillett, Crynwr a gwarantydd yr arian, a Tom Nefyn.

Am gyfnod, bu Tom Nefyn yn chwarae â'r syniad o aelodaeth ddwbl, sef bod yn aelod gyda'r Hen Gorff a pherthyn i'r Gymdeithas yn Llain-y-Delyn. Roedd o, hyd y gwela' i, dan y camargraff fod George M. Ll. Davies yn perthyn i'r Crynwyr ac yn Weinidog gyda'r Methodistiaid Calfinaidd yn Nhywyn Meirionydd. Fe'i gwrthodwyd.

Yna, wedi dwy flynedd o lusgo traed, daeth gair oddi wrtho yn dweud fel roedd ei briod ac yntau wedi dod i benderfyniad, a hynny'n annibynnol ar ei gilydd: 'A'r penderfyniad y deuthum iddo oedd hwn. Pa bryd bynnag y digwydd hynny, bwriadwn ymgartrefu yn y Gogledd y tro nesaf.

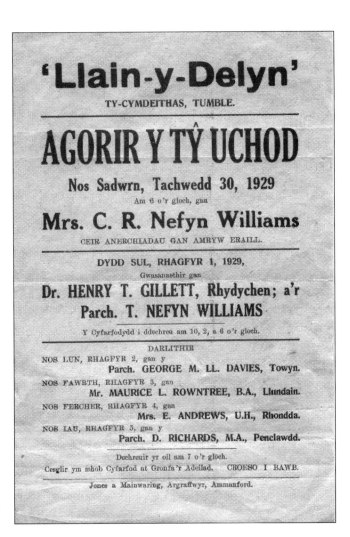

33. Taflen agor Llain-y-Delyn.

34. Llain-y-Delyn, 1998 a'r drysau ar glo.

Gwelwch felly na chodwn ein pabell eto yn y Tymbl, ac na ddychwelaf i arwain y Gymdeithas.'

Gwaith costus i Tom Nefyn oedd sgwennu gair o'r fath at gyfeillion oedd wedi'i gefnogi hyd at aberth, a dyna mae'n ddiamau un o'r rhesymau am yr oedi fu ar ei ran o, ond roedd yr ateb dderbyniodd oddi wrth y Gymdeithas, wedi pleidlais unfrydol arno, yr un mor ddiwyro: 'Ein bod fel Cymdeithas yn cydnabod rhyddid i Mr Williams i ddilyn ei olau ei hun . . . ond ein bod ni fel Cymdeithas yn glynu wrth yr argyhoeddiadau y torrwyd ni allan o'u plegid.'

Cymaint oedd siom a chwerwedd E. P. Jones nes iddo ysgrifennu llythyr agored, deifiol i'r *Western Mail*, 20 Ionawr 1931, yn cyhuddo Tom Nefyn o droi yn ei garn: '*You suggested that a friend of yours could easily collect £400: up to now we have received about £5 from your collection towards the building fund, and from your friend nothing.*'

Penderfynodd Tom Nefyn beidio â'i ateb, a rhoi glo 'ar dân uffern', chwedl yntau. Hwyrach iddo deimlo fod rhai o'r honiadau yn anodd iawn i'w hateb p'run bynnag. Ond fe sgwennodd o gerdyn post gyda neges od iawn at E. P. Jones, o'r *Beehive*, ar 3 Chwefror 1931: 'Gadewch i mi wybod pa bryd y mae'r *Jumble Sale*. Mae Mrs Jones [ei fam yng nghyfraith] a Mrs Williams wedi meddwl ers misoedd am yrru rhywbeth i helpu, ac ni wnaiff dim a ddywedasoch yn eich "open letter" lawer o wahaniaeth i'r dymuniad, Yn bur, Tom Williams'

Ond y llythyr ddatododd y cwlwm, hyd y gwela' i, oedd yr un anfonodd E. P. Jones ato o 'Eryri, Upper Tumble', ar 27 Mai 1931 yn egluro'n ddiamwys nad oedd posibl iddo barhau'n un o'r ymddiriedolwyr ac na fyddai'r Gymdeithas angen ei wasanaeth o hynny ymlaen: '"Yr hwn nad yw gyda myfi, yn fy erbyn y mae" – felly ewch chwi ar y ffordd orau welwch chwi eich hun – a phob lwc dda i chwi – ond gadwch y Gymdeithas fyned ei ffordd ei hun.'

Wedi i'r llwch setlo fe ddechreuodd E. P. Jones a Tom Nefyn lythyru â'i gilydd unwaith yn rhagor. Ar 12 Gorffennaf 1937 fe aeth yr Ysgrifennydd mor bell â rhoi addewid o gyhoeddiad iddo yn Llain-y-Delyn: 'Hoffwn yn

35. 'Ar ôl fy esgymuno.' Cymanfa Bregethu Seion, Llandysul.
Rhes gefn, o'r chwith i'r dde: Mary Davies; Arthur Jones; Walwyn Beynon; Enoch Defi Jones; Johnny Hughes; Ifan Jones; –.
Rhes flaen: Betty Davies; William Jones; –; Tom Nefyn Williams; Gareth Jones; Megan Tibbott; Clarissa Phillips; Mrs. Tom Davies; Ifan Thomas. (Gwybodaeth gan Huw Lewis, Llandysul.)

fawr, yn nes ymlaen, i drefnu i chwi ddod atom am Sul fel rhyw ymwelydd arall.' Hyd y gwn i, ddaeth y trefniant hwnnw ddim i ben. Ar dir rhesymeg noeth mae hi'n anodd ryfeddol i beidio â gweld bai ar Tom Nefyn am droi'i gefn ar ei braidd wedi iddo fo'u harwain nhw allan; ar y llaw arall mae'n rhaid gadael talar bob amser i gyfnewidiad meddwl a hawl person i ddilyn arweiniad gwahanol.

Mae adeilad hirsgwar Llain-y-Delyn ac Ebeneser, uchel ei ben, yn dal i daflu cilwg ar ei gilydd ond mae gwedd y ddau adeilad yr un mor druenus. Am nad oedd y cymdeithasau oedd oddi mewn yn ddigon cryf i ddal y malltod sydd ar gerdded fe gaeodd y ddau eu drysau: Ebeneser yn niwedd 1995 a Llain-y-Delyn beth amser cyn hynny.

14. AWEL YM MHORTHCAWL

Pan gyrhaeddodd Tom Nefyn i'r Sasiwn ym Mhorthcawl ar y pymthegfed o Ebrill, 1931 'doedd y gwanwyn ddim wedi llawn gyrraedd; roedd hi'n rhy gynnar ar y flwyddyn i'r glowyr a'u teuluoedd fod yn clertian yn eu cadeiriau haul ar y promenâd a 'doedd y drol hufen ia, hyd yn hyn, ddim wedi'i hail beintio ar gyfer heli'r traeth. Ond roedd yna 'awel ym Mhorthcawl' y dydd Mercher hwnnw, pan gerddodd y Dr Owen Prys i'r sêt fawr i roi crynodeb o'r sgwrs fu rhyngddo a Tom Nefyn y noson flaenorol.

'Barchus Lywydd, Frodyr a Thadau, mae'r awyrgylch yma heddiw yn wahanol iawn i'r hyn ydoedd yn Nantgaredig ddwy flynedd a hanner a mwy yn ôl. Teimlem y pryd hwnnw fod Mr Williams yn llithro oddi wrthym. Teimlem ei fod â'i wyneb ar y cefnfor mawr, a bod mordaith

36. 'Ac awel ym Mhorthcawl', Ebrill 1931.

The Promenade, Porthcawl.

stormus o'i flaen. Neithiwr, fodd bynnag, cawsom ef yn cyfeirio am yr hafan. Yr oedd y môr yn dawel a'r morwr yn ddigyffro.'

Roedd y siaradwr wedi dal ar idiomau oedd yn gweddu i'r dim i dref borthladd fel Porthcawl – storm a chefnfor, hindda a hafan.

Ar 16 Mawrth 1931, roedd Tom Nefyn wedi anfon llythyr eithaf maith at y Parch. J.J. Thomas, Llanofer, Ysgrifennydd y Gymdeithasfa yn y De, yn datgyffesu yr hyn sgwennodd o yn *Y Ffordd yr Edrychaf ar Bethau* ac yn gofyn am iddo gael ei adfer i'r weinidogaeth gyda'r Methodistiaid Calfinaidd. Bellach, roedd y Gymdeithasfa oedd yn cyfarfod ym Methel, Porthcawl, yn barod i ymateb i'r cais.

'Gadewch i mi ddweud yn awr nad oes gan y Gymdeithasfa ddim i edifarhau o'i herwydd. Rhaid deall hyn yn glir ar y dechrau.' Dyna beth oedd sicrwydd cadwedigol! 'Yr ydym felly yn argymell fod y Gymdeithasfa yn ailsefydlu Mr Williams yn weinidog ein henwad.'

Cyn bod y Llywydd wedi llawn godi ar ei draed cododd gwrthwynebiad o'r llawr, ac yn Saesneg.

'Does Mr Williams now believe in the Deity of Christ?'

Roedd y Parch. W. W. Lewis, Abertawe, un o blant y Diwygiad, am hawlio'r pwys olaf o gnawd.

Cododd Tom Nefyn ar ei draed yn y sêt fawr, yn gwbl hunanfeddiannol yr olwg a sibrwd yn dawel, '"Y mae Duw yng Nghrist yn cymodi'r byd ag ef ei hun, heb gyfrif iddynt eu pechodau, ac wedi gosod ynom ni air y cymod."'

Ni allai'r cynrychiolwyr lai na sylwi fel roedd o wedi aeddfedu: y gwallt wedi teneuo rhagor fyth a gwynnu peth, y corff wedi trymhau a'r llais yn dawelach.

'Does Mr Williams now believe in the personality of the Holy Spirit?'

Credaf yn Nuw, Creawdwr nef a daear, y Tad sanctaidd a chariadus; yn Iesu Grist, a aned o Fair, a fu byw yn berffaith, a groeshoeliwyd erom o dan Pontius Peilat, a atgyfododd, a esgynnodd i eiriol drosom, ac a ddaw drachefn i Farn; ac yn yr Ysbryd Glân, argyhoeddwr y byd, diddanydd y Saint ac arweinydd i'r Gwirionedd.

Credaf yn yr Eglwys Lân Gyffredinol, yn yr Ysgrythurau, mewn maddeuant pechodau, yn y Sacramentau, ym mhregethiad yr Efengyl, mewn bywyd tragwyddol, ac yn y Gwynfyd a erys y da a'r ffyddlon.

Credo Tom Nefyn wedi iddo droi'n ôl.

'"Tydi wyt Ysbryd Crist, dy ddawn / Sy' fawr iawn a rhagorol".'

Syndod pob syndod, y Parch. T. F. Jones, y Gopa – yr hen arch elyn – gynigiodd 'ein bod yn ailsefydlu'r Parchedig Tom Nefyn Williams yn Weinidog gyda'r Methodistiaid Calfinaidd' ac fe'i heiliwyd gan y Parch. Samuel Davies, Cwmdwyfran! Tybed oedd y cynigydd a'r eilydd wedi'u dewis a'u cyfarwyddo ymlaen llaw? 'Dydi rhagdrefnu o'r fath ddim yn beth cwbl estron i lysoedd eglwysig pan fo'r mater dan yr ordd yn un delicet.

Wedi'r ffiasco yn Nantgaredig roedd gwŷr y wasg wedi'u halltudio o'r cyfarfod ymlaen llaw. Nid bod hynny nac yma nac acw ganddyn nhw, unwaith oeddan nhw wedi deall canlyniad y bleidlais! O'u safbwynt nhw, stori wan fyddai hi wedi bod beth bynnag: potsiar yn troi'n gipar a phawb yn cytuno.

15. 'A'I DDAWN GREF YN FODDION GRAS'

RHOSESMOR

Yng ngwanwyn 1932 derbyniodd Tom Nefyn alwad i fugeilio eglwys Bethel, Rhosesmor, yn sir y Fflint, ac fe symudodd y teulu i fyw i dŷ'r gweinidog, Bro Awel. Yn ôl Gwilym Bellis, Nant, Rhydymwyn – oedd yn llanc dwy ar bymtheg oed ar y pryd a'i dad yn aelod o'r Pwyllgor Bugeiliol – fe gafodd 'alwad unfrydol' ac fe'i derbyniodd yntau hi ar yr amod ei fod o'n cael 'dilyn ei lwybr ei hun'.

Mewn cymhariaeth â hosan hir o bentref glofaol, poblog, fel y Tymbl ardal wasgarog, wledig, ar ddarn o rostir uchel oedd Rhosesmor a'r cylch. Eto, roedd hon i ryw raddau yn fro ddiwydiannol. Serch mai bro amaethyddol oedd hi'n bennaf, ac mai tyddynwyr neu grefftwyr oedd amryw o'r aelodau, roedd gwaith plwm Mynydd Helygain, *Halkyn and District United Mines*, yn dal mewn bri a nifer dda yn cyrchu yno ar eu beics, ac eraill yn teithio cyn belled â'r Fflint i'r gwaith sidan.

37. Bethel, Rhosesmor, yr adeilad wedi cau.

38. Gwilym Bellis a Ron Parry, haneswyr Bethel.

O sgwrsio gyda rhai sy'n cofio'r cyfnod a darllen *Adroddiadau Blynyddol* Bethel mae'n amlwg i mi mai 'dilyn ei lwybr ei hun' wnaeth o wedi cyrraedd Rhosesmor gan adeiladu ar y patrymau oedd ganddo yn y Tymbl. Plentyn pump oed oedd Ron Parry, Penfro, Rhydymwyn, pan ddaeth Tom Nefyn i Fethel ac mae o'n dal yn ddiolchgar am i'r Gweinidog newydd roi heibio'r arfer o wrando ar blant yn adrodd eu hadnodau'n gyhoeddus. Ei arfer o oedd rhoi penillion o'i waith ei hun iddyn nhw eu dysgu: penillion, chwedl Tom Nefyn ei hun, oedd '. . . yn sôn mwy am flodau nac am feddau; mwy am fywyd nag am nefoedd; mwy am gyfleusterau a dyletswyddau nag am aur-delynau'.

Fel yn y Tymbl, fe gododd y gwau ei ben unwaith yn rhagor! Meddai, wrth adolygu bywyd yr eglwys yn *Adroddiad Blynyddol* 1933: '. . . cyfarfu nifer o ddynion cymharol ifanc yn y Festri bob nos Lun . . . bu i'r dosbarth hwn gynhyrchu pentwr o fatiau *Turkey Wool* diguro yn ystod y gaeaf. Er mwyn ceisio torri ar draws undonedd bywyd canol oed . . . ffurfiwyd cylch o ferched i wau ac i wnïo.'

Ond roedd yna bwrpas arall i'r gwnïo a'r gwau hefyd. Pan ddaeth Tom Nefyn i Rosesmor roedd eglwys Bethel mewn cryn ddyled, ac ym Mai a Medi 1933 fe werthwyd y matiau *Turkey Wool* a gwaith llaw y merched 'canol oed' mewn dwy *'sale of work'* gan wneud elw o £130. Mwy o swm na chyflog blynyddol y Gweinidog!

39. Rhostir Rhosesmor lle bu'r gwaith plwm unwaith.

Ffeindia'r afon ei ffordd tua'r môr,
Plyga blodyn yng nghyfeiriad y goleuni.
Etyb yr oen fref y ddafad.
Chwennych y plentyn gwmpeini ei dad a'i fam
Ond maddeu inni, O Dduw, ein hynfydrwydd, ein hangof.
Dy lais ymhob gwynt; ninnau'n fyddar.
Dy dosturi wedi'n dal; ninnau yn ei gwadu.
Dy ymyriad gerllaw; ninnau am ffoi oddi wrtho.
Dy angen yn ein cyffwrdd; ninnau yn ei gyfri'n estron.
Maddeu inni, O Dduw, ein hynfydrwydd, ein hangof.
Oblegid o'th golli di, ni chedwir dim uchelbris.
Colli dy lewyrch; dwyn nôs i'r enaid.
Colli dy gwmni; troedio'r uffernau unig.
Colli dy nerth; methu yn ein tasgau.
Maddau inni, O Dduw, ein hynfydrwydd, ein hangof.
A heno, fel y treigla'r afon tua'r môr, neu y plyga blodyn at y goleuni,
    neu y rhêd yr oen at y ddafad, neu yr ymdynna plentyn i gysgod
    ei rieni, tynn ni, O Dduw, atat dy Hun.
Canys ynnot y mae ein cartref gwir - pen draw ein taith- bererin: a saif
    y Groes, fel mynegbost i bob canrif, ar y ffordd tuag atat.
Tynn ni yn nes-nes. Er mwyn Iesu Grist. Amen.

Gweddi offrymwyd gan Tom Nefyn ym Methel, Rhosesmor, yn ystod oedfa nos Sul yn
nechrau 1935 ac a ymddangosodd yn yr *Adroddiad Blynyddol.*

Nid bod Tom Nefyn wedi anghofio cyni'r cyfnod ac angen pobl o'r tu allan i gylch ei eglwys. Yn niwedd Ionawr 1934, fe anfonwyd 'pentwr o ddillad' i Gymdeithas y Cyfeillion yn y De ac yn nechrau Chwefror fe dderbyniodd Tom Nefyn lythyr oddi wrth Margaret Gardner, Crynwraig amlwg ar y pryd, yn gwerthfawrogi'r caredigrwydd ac yn dangos mor fawr oedd yr angen: *'Some of the gifts went at once to a family where a poor mother was lying ill in bed with a new baby in an icy bedroom, and with very little clothing. The husband is nearly blind and is struggling to look after two young children. The eldest child, a girl of fourteen who was the right hand of the family, recently died of diptheria, and there is another child in the fever hospital – she suffers from the same thing.'*

Mae *Adroddiad Blynyddol* yr eglwys am 1936 yn rhestru yr holl roddion gwirfoddol gafwyd yn ystod ei weinidogaeth yn Rhosesmor – roedd yr haearn yn hogi haearn mae'n amlwg – a hynny naill ai i harddu'r adeiladau neu i hwyluso'r gwaith: 'Dwy organ, un i'r Capel a'r llall i'r Festri; Platiau arian i ddal bara y Cymun; Lliw *walpamur*, darluniau i bob ystafell ac eithrio'r capel; Pump *piano-wire* o flaen y ffenestr fawr i atal eco; *Bulbs* a choed i'r lawnt' a nifer o roddion tebyg. Peth arall wnaeth o wedi cyrraedd Rhosesmor oedd gwneud cwpwrdd i ddal llyfrau.

Serch ei fod o'n 'weinidog i bawb yn y fro', chwedl Ron Parry, 'doedd o ddim yn esgeuluso gwneud gwaith y gweinidog traddodiadol: 'Fe alwodd o acw ryw bnawn, ar ei feic. Dw' i'n cofio bod 'y nhad wrth y tŷ gwair. "Ma'r wraig yn y tŷ, Mistyr Williams", medda' nhad. "Ond mi rydw i wedi galw i'ch gweld chithau, Mistyr Parry", medda' fo! Roedd mam yn diodde' oddi wrth boen cefn. "Berwch rwdan, Musus Parry", medda' fo, "ac yfwch y dŵr". Mi 'nath mam. Roedd hi'n siwr o 'neud, ac mi roedd hi'n siwr o wella, achos roedd ganddi hi gymaint o feddwl o Tom Nefyn!'

Roedd gwaith plwm Mynydd Helygain, ar y pryd, yn enwog am ei ddamweiniau: fe gollodd Ron Parry ewythr mewn damwain yn y pwll ac roedd Gwilym Bellis yn cofio am ŵr arall yn colli'i olwg. Ar adegau felly byddai Tom Nefyn gyda'r cyntaf i gyrraedd Pen y Bryn, pen y pwll felly, ac yn fawr ei ofal am y teuluoedd wedi hynny. Roedd o'n dal i genhadu yn yr awyr agored hefyd, ac yn teithio i fannau fel Ffynnongroyw i bregethu ar y palmant.

Mae ym meddiant ei fab, Nefyn, Anerchiad ymadawol (nodweddiadol o'r cyfnod) mewn cyfrol a gyflwynwyd i Tom Nefyn yn Ebrill 1937 gydag enwau pedwar blaenor ac wythdeg pedwar o danysgrifwyr a gyfrannodd i'w dysteb: 'Buoch yn fugail mawr ei bryder a'i ofal am ei braidd, yn porthi'r defaid ac yn bugeilio'r ŵyn ac yn ceisio'r rhai ar ddisperod yn ysbryd y Pen Bugail'.

40. Pobl ifanc Bethel ar heic, a'r bugail yn y cefn.
Rhes gefn, chwith i'r dde: Ernest Ffoulks; Gwilym T. Bellis; Tom Nefyn Williams; Tecwyn Jones; Lena Jones; Maldwyn Jones; John Williams; Olwen Jones; Howel Drury; Hannah Rogers; Mair Wyn Jones; Elsie Martin; Eirian Humphreys.
Yn y blaen: Meirion Williams; Elfed Bellis; Emlyn Lloyd.

41. Parti carolau Bethel a'r gweinidog wrth yr organ.
Rhes gefn, chwith i'r dde: Hugh T. Hughes; Tecwyn Jones; Emlyn Lloyd; Elwyn Williams; John H. Edwards; John Bellis; Robt. T. Jones.
Rhes flaen: Daniel G. Rogers; John T. Jones; Tom Nefyn Williams; David R. Hughes; Benjamin Rogers.

BETHESDA

Yn ei gyfrol *Hanes Eglwys Bresbyteraidd y Gerlan, Bethesda 1869 – 1969* mae Emyr Hywel Owen yn cofnodi hanes aelodau Ysgol Sul y Gerlan, adeg helynt y Tymbl, yn rhoi gwahoddiad i Tom Nefyn i ddod i bregethu i Gymanfa enwog y Sulgwyn a blaenor, triw i'r enwad, yn gohirio'r gwahoddiad, yn fwriadol, nes i bethau fynd yn rhy ddiweddar. Erbyn 1937, roedd y blaenor gwarcheidiol hwnnw yn ei fedd a chafodd Tom Nefyn alwad i ddod i'r Gerlan yn weinidog. Fe ddechreuodd ar ei waith yno ym mis Ebrill a'r teulu'n symud i fyw i Fryn Llewelyn, tŷ'r gweinidog.

Wrth symud i Ddyffryn Ogwen roedd yna nifer o bethau o'i blaid. Newydd droi'i ddeugain oed oedd o, cymylau'r 'troi allan' wedi hen godi ac yntau wedi profi yn Rhosesmor a'r cylch ei fod o'n medru dal i ddawnsio i'r 'Llais' glywodd o gyntaf ar draethau'r Dardanelles. Roedd y patrymau cymdeithasol a bywyd diwylliannol y fro yn siwr o fod at ei ddant. Yn un peth, roedd o wedi bod yn chwarelwr ei hun, ac yn 1937 roedd chwarel enwog y Penrhyn yn dal mewn bri a bywyd y fro yn troi o gwmpas y chwarel a'i phobl. Ac erbyn diwedd y tridegau roedd y chwith gwleidyddol wedi dod yn llawer mwy derbyniol. Yn grefyddol, wedyn, roedd hi'n ardal weithgar.

Ym mhen dwy flynedd a hanner wedi i Tom Nefyn symud i'r Gerlan fe dorrodd yr Ail Ryfel Byd allan – y 'ffwrn dân' chwedl yntau – ac fel bugail eneidiau dyna'r pryd y daeth o i'w frenhiniaeth. Wrth ysgrifennu colofn amdano i'r papur bro, *Llais Ogwan*, ym Mawrth 1995, fe gyfeiriodd Mrs M. E. Williams at hynny: 'Ddydd Gwener, Medi 1af, 1939 ymosododd

42. Capel y Gerlan, bellach wedi'i ddymchwel.

43. Rhwng dwy ofalaeth, 1937.

byddinoedd yr Almaen ar wlad Pwyl. Drannoeth roedd Tom Nefyn yn ymweld â'i aelodau – agor y drws, rhoi ei ben i mewn a dweud 'Duw sy'n noddfa' – ac yn ei flaen â fo. Drannoeth, ddydd Sul, Medi 3ydd, roedd yn pregethu yn y Gerlan, ac ar ei weddi gofynnodd gydag angerdd, 'Pam y caiff bwystfilod rheibus dorri'r egin mân i lawr yn Poland y bore yma?' Ei thema y bore hwnnw oedd 'Yn ôl dy ddydd y bydd dy nerth,' ac roedd angen nerth ar bawb ohonom y bore tyngedfennol hwnnw pan dorrodd yr Ail Ryfel Byd allan.'

Yn wir, roedd eglwys y Gerlan o dan arweiniad Tom Nefyn wedi pasio

---

Un ohonynt yn wael yn y Royal Infirmary yn Lerpwl, a minnau wedi ymweld ag ef dros ei fam weddw. Sylwais fod rhywun wedi rhoi iddo felysion a ffrwythau, ac ar ôl i'w boen y prynhawn hwnnw liniaru ychydig dechreuasom sgwrsio. "Wel," meddwn wrtho, "y maen' hw' wedi bod." "Pwy?" gofynnodd yntau. "Yr angylion," meddwn innau'n ôl. "Adenydd oedd ganddyn' hw' ers talwm, ond 'sgidia' sydd iddyn' hw' heddiw." "Mr Williams," atebodd yntau. "'rydw' i wedi

gwneud parodi o *Ora Pro Nobis* Eifion Wyn. Mi deuda' i o 'rŵan:

'Ein Tad, cofia Edward,
Rhwng cyfnas a llawr:
Mae 'i locar mor fychan,
A'i ffrindia' mor fawr.'"

Allan o'r *Ymchwil*: Tom Nefyn yn ymweld ag un o aelodau'r Ford Gron.

datganiad yn gwrthwynebu y *Mesur Milisia* – mesur yn rhoi hawl i gonsgriptio bechgyn ifanc rhwng 20 ac 21 oed – ddeufis cyn i'r rhyfel dorri allan ac wedi anfon copïau ohono i arweinwyr y gwahanol bleidiau gwleidyddol. Bu'n ddigon dewr i drafod rhyfel o'i bulpud yn y Gerlan ar y Suliau ac mewn print. Meddai yn *Adroddiad* 1944: 'Gwallgofrwydd a gwastraff a gwae anaele ydyw rhyfel, ie, drwg i'w atal am byth.'

Yr un oedd ei ddulliau ym Methesda ag yn ei ofalaethau blaenorol: gosod plant ac oedolion mewn dosbarthiadau yn ôl eu hoedrannau, paratoi deunydd newydd a gwahanol ar eu cyfer a mynd â nhw ar deithiau cerdded yn yr haf. Yn naturiol, gyda phoblogaeth fwy, roedd y dosbarthiadau'n rhai mwy niferus. Yn 1944 roedd 160 yn perthyn i'r Ford Gron, cymdeithas lenyddol y Gerlan. Yn ôl yr erthygl yn *Llais Ogwan*: 'Byddai festri'r capel yn orlawn ar gyfer y Seiat, y Cyfarfod Gweddi a'r Gymdeithas Lenyddol. Ychydig eiliadau cyn amser dechrau y Seiat neu'r Cyfarfod Gweddi,

44. Gyda 'teulu'r Berth', Gerlan, ychydig cyn Nadolig 1939 a chyn i'r hogiau gael eu gwasgaru i bedwar ban byd (o'r chwith i'r dde).

Rhes gefn: Henry Williams, Robert Richard Williams, William Owen Williams, Y Parch. Tom Nefyn Williams, William Williams, Owen Williams, Huw Williams.
Rhes flaen: Thomas Ffrancon Williams (perchennog y darlun), Huw Owen a Catherine Williams (rhieni), Arfon Williams.
Blaen (yn y canol): Mair Eluned Williams.

Ac ar yr un lefel â gweithiwr cyffredin y cyfrifai Tom Nefyn ei hun . . . Pan aeth yn weinidog i'r Gerlan yn 1937, codai bob bore yr un adeg ag y codai'r cynharaf o chwarelwyr ei gynulleidfa, a gwelid ef yn ei stydi yn gweithio fel yr âi'r gweithwyr i'r chwarel. Eithr nid digon hynny ganddo. Cyn hir, yn union fel y canai cloch y chwarel am hanner awr wedi saith, yr oedd yn agor giât festri Capel y Gerlan yn feunyddiol ac âi i mewn yno i weddïo. Dyma'r amgylchiad a gynhyrfodd Dr. R. Williams Parry i sôn yn ei soned i'r 'Cyrn Hyrddod' am

'rawd
Blygeiniol bugail unig tua'r deml
I ymbil dros y gweithwyr yn y
    graig
Gan gariad sydd yn fwy na
    chariad gwraig'.

Bu gan y weithred blygeiniol hon ei heffeithiau clinigol ar y chwarelwyr; yr oeddynt hwythau yng nghyfarfodydd nos Tom Nefyn.

Emyr Hywel Owen, un o edmygwyr mawr Tom Nefyn, yn ei ysgrif 'Meddygyniaethau'r Meddwl' yn *Tom Nefyn*. Mewn erthygl i'r *Faner*, 18 Rhagfyr 1958, mae o'n mentro awgrymu mai clywed am godi cynnar wnaeth Bardd yr Haf ac nid gweld yr act drosto'i hun!

byddai'n plygu ei ben ac yn ei lais soniarus yn canu'n dawel: Iesu, Iesu,/ Gwrando lais fy nghri,/Pan ar arall rwyt yn gwenu/Paid â'm gadael i. A'r gynulleidfa yn ymuno ag ef.'

O edrych ar ystadegau'r eglwys gwelir iddi ddal ei thir yn rhyfeddol, o gofio'i bod hi'n ddyddiau rhyfel, ond fu dim cynnydd mawr yn aelodaeth yr eglwys nac yn aelodaeth yr Ysgol Sul ac erbyn diwedd ei dymor yn y Gerlan mae lle i gredu fod peth cilio o'r gynulleidfa: 'Gwn fod cnewyllyn da iawn o'r aelodau yn cofio oedfa'r bore, a'r Ysgol Sul, a'r Seiat amrywiol: ond wedi wyth mlynedd o gerdded diwarafun, o rannu beichiau, o ymladd cudd ym mhlaid pob creadur yn ddiwahaniaeth – a hynny'n fynych â chost nid bechan am amser hir – beth am y 200 arall o Ionawr i Ragfyr? Ie, beth? Dim ond ambell nos Sul.'

Yn Nyffryn Ogwen, hefyd, fe erys chwedlau am ei actau hunanaberthol. Dethol sy'n anodd. Meddai J. O. Jones, mewn ysgrif i *Llais Ogwan* yn 1994: 'Pan fu farw un o wartheg Mr T. Moses Jones, Gwaun Gwiail, derbyniodd gerdyn gan ei weinidog yn cydymdeimlo ag ef yn ei golled ond ychwanegodd: "Diolchwn mai i'r beudy y daeth angau".'

Pan dorrodd y Rhyfel allan yn 1939 rhoddodd Tom Nefyn ei air y byddai'n aros yn y Gerlan nes dôi heddwch a phawb o'r aelodau oedd yn y Lluoedd Arfog wedi dychwelyd i'w cynefin. Ond yn Ebrill 1946, a'r rhyfel drosodd erbyn hyn, fe newidiodd faes a chynefin.

Fe gynhaliwyd cyfarfod ffarwél cofiadwy iawn yng nghapel y Gerlan. Anrhegu'r Gweinidog a'i briod oedd prif waith y noson. Mae adroddiad *Y Cymro*, 19 Ebrill 1946, yn nodi iddo dderbyn 'anrheg o walet oedd yn cynnwys siec' a 'rhestr o enwau'r tanysgrifwyr' ac i'w briod gael 'lamp drydan hardd'. Yn y gyfrol goffa mae Huw Davies, oedd yn aelod yno ar y pryd, yn sôn amdano fo'n dal y siec honno yn ei law ac yn gofyn i'r gynulleidfa: 'Be' wna' i efo'r arian yma deudwch? 'Does gen i ddim i ddweud wrthyn nhw, er eu bod nhw'n handi iawn i dalu'r *bus* weithiau. Pe cawn i fy ffordd, ffrindiau, fe'u defnyddiwn nhw heno i brynu piano i'r hen blant bach yn y festri'. Byddai gweithred o'r fath yn gwbl nodweddiadol ohono.

Ond o gael cyfarfod ffarwél, yna, roedd hi'n werth cael un haeddai'i gofio. Yn y sêt fawr y noson honno roedd un peth hynod o annisgwyl: 'oddeutu mil o lythyrau', ffrwyth gohebiaeth Tom Nefyn, ar ran pobl Dyffryn Ogwen a'r cylch, â gwahanol adrannau o'r Llywodraeth ac unigolion yn ystod blynyddoedd tywyll y rhyfel. Dim ond Tom Nefyn fyddai wedi medru cynnal y fath swm o ohebiaeth yn ychwanegol at ei waith beunyddiol, a dim ond y fo fyddai wedi meddwl am roi llond trol ohonyn nhw yng nghysgod y pulpud ar noson y codi angor.

EDERN A'R GREIGWEN
Bwriad Tom Nefyn wrth adael Bethesda, fel yr eglurodd gohebydd *Y Cymro*, oedd 'dechrau ar ymgyrch efengylaidd o'i eiddo'i hun' gan ganoli ar

45. Capel Edern 1998.

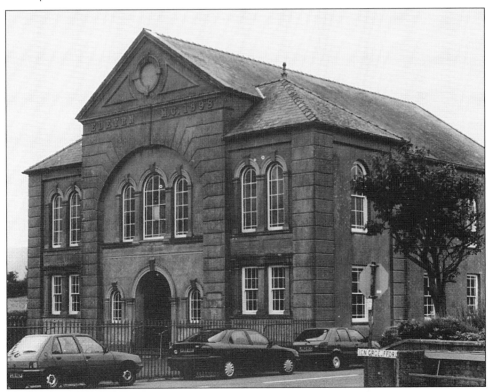

46. Capel y Greigwen heddiw yn gartref teulu.

Fel i'w gyfaill, J. Glyn Davies, awdur *Cerddi Edern*, roedd Llŷn i Tom Nefyn yn 'lle i enaid gael llonydd'. Roedd o'n hanner addoli'r pentir, yn dwyfoli'r fro yn ei gerddi a'i ysgrifau ac yn blasu enw ambell ffarm a thyddyn, cilfach a glan, ar sgwrs neu wrth bregethu ac yn sôn yn fynych am y cymeriadau oedd o'n gofio yn nyddiau'i ieuenctid.

Roedd ei berthynas â phobl Pen Llŷn yn un gynnes ryfeddol ac wedi bod felly am amser maith. Er enghraifft, ym meddiant ei deulu mae yna glamp o degell wedi'i arianblatio a'i addurno - y *spirit kettle*, oedd mor boblogaidd yn y dauddegau, gyda lamp feth oddi tano i gadw'r dŵr yn gynnes - ac arno mae'r geiriau: 'Anrheg Briodasol Gwerin Llŷn. *Typewriter* i Tom. Tegell i Ceri. 23: 1: 26'. A 'does yna ddim sôn i 'werin Llŷn' gasglu arian i gael anrheg priodas i neb arall o'r llu gweinidogion godwyd ar y penrhyn hwnnw!

Dim ond unwaith y gwelodd Nefyn, ei fab, y tegell wrth ei waith. (Hwyrach y byddai'i grandrwydd o'n peri i sosialydd fel Tom Nefyn ei gadw fo o'r golwg.) Pan oedd o'n blentyn, ac yn byw yn Rhosesmor, fe ddaeth yna un 'Major Edwards' yno i de, ac i annerch y seiat yn nes ymlaen, ac roedd y 'morgan' arian ar ganol y bwrdd y pnawn hwnnw. Roedd hi'n ddiddorol sylweddoli, wedi i mi chwilota, fod yr Uwchgapten C. H. Edwards, nid yn unig yn gyn-swyddog yn yr un fataliwn â Tom Nefyn ond ei fod yntau wedi cael tröedigaeth ryfeddol yn ystod ei gyfnod yn y fyddin. Wedi treulio cyfnod yn heliwr eliffantod a llewod yn y gwledydd tramor fe'i hordeiniwyd gan yr esgob i waith bugeiliol yn Southport a chyffiniau Lerpwl. Y dröedigaeth a'r gwaith bugeiliol fyddai'r tir cyffredin wrth y bwrdd te, nid yr hela, a'r tegell arian, o bosibl, yn help i bontio'r gwahaniaethau dosbarth.

Bwllheli. Fe brynwyd tŷ ym Morfa Nefyn. Mae hi'n anodd gwybod erbyn hyn pa mor llwyddiannus fu'r fenter ond wedi tair blynedd fe dderbyniodd alwad i fugeilio eglwysi Edern a Greigwen: Edern yn bentref amaethyddol, gwledig, ar arfordir gogleddol Llŷn, a Greigwen yn gapel bychan mewn ardal denau'i phoblogaeth fwy i mewn i'r penrhyn.

Un ystyriaeth ganddo, mae'n debyg, oedd ei fod o'n gyfle i ddychwelyd i ganol gwlad Llŷn ac at ei wreiddiau. Ond yn ei 'Anerchiad' cyntaf i *Adroddiad* eglwys Edern, wedi'i sgwennu yn nechrau Mawrth 1949, mae o'n mynd allan o'i ffordd i bwysleisio nad oedd hwylustod y tŷ yn unrhyw ystyriaeth ganddo: 'perthyn i'r cwbl,' meddai, 'ystyr anhraethol ddyfnach.'

47. Y 'morgan arian'.

Mae'n amlwg fod busnes y tŷ yn faen tramgwydd iddo ac yn 1952 fe brynodd yr eglwys dŷ o'r enw 'Hafod' ym mhentref Edern i fod yn gartref i'r teulu.

Pan oedd o'n dechrau ar ei weinidogaeth yn Edern yn Ionawr 1949 roedd o'r un pryd yn dathlu'i ben-blwydd yn 54 mlwydd oed, yr union oedran yr oedd ei dad o'n marw. Ond 'doedd sylweddoli hyn yn oeri dim ar ei frwdfrydedd. Yn ei 'Anerchiad' cyntaf i *Adroddiad* eglwys Edern mae o'n addo peidio arbed 'amser nac ynni' a 'byw i'r ardal'. Yna, mae o'n gosod allan amlinelliad o'i fwriadau fel bugail eglwys: 'Hoffwn fugeilio, gan barchu a chadw cyfrinach. Carwn bregethu, fel gŵr yn rhannu bara "bara bywyd". Dymunwn fod yn eiriolwr, heb ddweud gair sâl yng nghefn neb.'

Fel yn yr eglwysi eraill fu o dan ei ofal rhoddodd sylw arbennig i blant a phobl ifanc gan ddal i baratoi yn newydd a gwreiddiol ar eu cyfer. Wrth annerch cyfarfod i ddathlu canmlwyddiant geni Tom Nefyn – gynhaliwyd yng nghapel Edern 9 Chwefror 1995 – fe adroddodd y Barch. Ann E. Jenkins, Bronant, Aberystwyth, fath o gyffes ddysgodd o i blant Edern i'w hadrodd ar ddechrau neu ddiwedd cyfarfod – cyffes ddefnyddiodd o gyda phlant gydol ei weinidogaeth:

> Cofiaf yr Iesu a'i groes.
> Dilynaf Ef.
> Byddaf yn garedig wrth bawb.
> Dywedaf y gwir.
> Caraf bopeth tlws.
> Parchaf fywyd.
> Mynnaf fod yn Gristion.
> Nerthed Duw fi.

Y syndod oedd fod eraill yn y cyfarfod y noson honno yn medru ymuno hefo hi i'w hadrodd hi ddeugain mlynedd wedi marw'r awdur.

Mae un o flaenoriaid Edern, W. T. Watkin Jones, yn dal i gofio rhoi benthyg tractor a threlar iddo, yn ôl yn 1950, i fynd â chryn bymtheg o blant oed cynradd i ben Garnfadryn. Wedi cyrraedd copa'r Garn fe gafwyd addoliad a'r plant eu hunain yn offrymu gweddïau: 'Anghofia' i byth mo hynny. Yna, chwarae cuddiad, a methu'n glir â chael hyd i Mr Williams ac yn dechrau panicio. Wrth drugaredd fe ddaeth o i'r golwg toc, yn chwerthin yn braf. Yna, hel llus i ddau o'r pentrefwyr oedd yn wael; yr hogiau i hel i William Owen, Bryngolau, a'r genethod i hel i Mrs Mary Williams, Tyddyn; a'u danfon iddyn nhw ar y ffordd adref.' Roedd Ann Jenkins yn un o'r plant hynny, ac yn ystod y cyfarfod dathlu roedd hi'n ategu'r stori ac yn ddiolchgar am y profiad.

48. Gyda phlant Edern tua diwedd y daith.

Gan ddechrau o'r cefn ac o'r chwith i'r dde: Glyn Williams, Siop Groesffordd; Meurig Jones, Frondeg; Robin Robyns, Tynllan; Gwilym Williams, Siop Groesffordd; Arthur Thomas, Wernlas; Alwyn Jones, Tremynfa; Mary Wilson Griffith, Dolerw; Lena Evans, Awelon; Heulwen Watkin Jones, Bryncrin; Lilian Jones, Fronolau; Catherine Robyns, Tynllan; Ann Edith Parry, Rhos; Sioned Llewelyn Kenrick, Heulwen; Mary Elizabeth Hughes, Gerddi; Dilys Ann Jones, Heaton Grove; Dorothy Hughes, Trigfan; Morris Parry, Penbryn Terrace; Gwilym Hughes, Tanybryn; Eurwyn Evans, Awelon; Trefor Jones, Frondeg; Gareth Jones, Deorfa; Evan Wyn Owen, Bryngolau; John Scott, Henfaes; Gwenda Mary Jones, Mount; Gwenda Watkin Jones, Bryncrin; Eleanor Jones, Fronolau; Elizabeth Ann Hughes, Glasfryn; Y Parch. Tom Nefyn Williams; Gwyn Hughes, Clydfan; Thomas Gareth Griffith, Mairlys; Roger Scott, Henfaes; Aled Hughes, Tanybryn; Gareth Wyn Jones, Morawel; Greta Hughes, Tanybryn; Megan a Gwenno Parry, Penbryn Terrace; Elsie Hughes, Tanybryn; Janet Mary Roberts, Y Post; Iona Hughes, Gerddi; Joan a Marjery Rowlands, Angorfa; Rita Forbes, Penbryn Terrace; Terry Hughes, Tanybryn; John Glyn Parry, Awelfryn; Gwynfor Hughes, Tanybryn; Catherine Hughes, Gerddi; Rhiannon Williams, Tŷ Hen.

A sôn am 'gyffes', mewn ysgrif ymddangosodd yn *Shalom* – cylchgrawn eglwys Y Groes, Wrecsam – fe gyfeiriodd Gwilym Morris Owen – un a fagwyd yn Edern yng nghyfnod bugeiliaeth Tom Nefyn – fel y byddai o'n eu rhybuddio nhw'n bobl ifanc: 'Gofalwch ar boen eich bywyd na wnewch chi ddim byd fyddai'n peri i chi agosáu at unrhyw un o'r tair 'C' fawr – Comiwnyddiaeth, Cyfalafiaeth a Catholigiaeth.' Ond eto, gydol ei weini-dogaeth, roedd o'n gredwr cryf mewn dau o gynorthwyon yr Eglwys Babyddol, sef cyffes a chatecism. Wrth baratoi pobl ifanc i fod yn aelodau cyflawn o'r eglwys roedd o, ar un cyfnod o leiaf, yn defnyddio catecism manwl gyda dros gant o gwestiynau ac atebion.

'Mi alla' i'ch sicrhau chi nad o *Hyfforddwr Charles* y daeth y Gwasanaeth Derbyn', meddai Ann Jenkins, wrth sôn am ei phrofiad hi, 'mi sgwennodd Mr Williams hwnnw 'i hun. Ac mi a'th ati i ddangos inni beth oedd ystyr y gair Cymundeb mewn ffordd ymarferol. "Pobol yn un", medda' fo, "o amgylch y bwrdd ac Iesu Grist yno yn bresennol yn ein plith ni." A dyma roi hwnnw i'r test. Dyma fo'n mynd â ni, y dosbarth derbyn yn ei grynswth, am bryd o fwyd i gaffi Belmor . . . dros y ffordd i gapal Soar yn Nefyn, gan ddangos i ni drwy gyfrwng y pryd bwyd hwnnw – ac mi rydw' i'n cofio'r pryd bwyd byth – sut y medra' pryd bwyd cyffredin fod yn Gymundeb.'

Y syndod i mi ydi nad oedd o ddim yn esgeuluso un gangen o'r gwaith yn lleol, er ei fod ar dramp yn rhywle bob yn eilddydd. Yn fwy na hynny, roedd ganddo fo ddawn i gofio am fân bethau ym mywyd aelodau'r eglwysi: pen-blwyddi a dathliadau o bob math, ac fe sgwennodd gannoedd ar gannoedd o gardiau post i longyfarch hwn ac arall, gan lythyru'n gyson â'r bobl ifanc oedd yn y colegau neu'n gweithio oddi cartref.

O gofio hyn i gyd, a meddwl am ei amryfal ddoniau, mae hi'n syndod eto na fyddai'r eglwysi wedi tyfu mewn rhif. Rhywbeth yn debyg oedd rhif aelodau eglwys Edern ar ddechrau a diwedd ei weinidogaeth yno. O ran codi rhif aelodaeth eglwysi, fu Tom Nefyn ddim yn fwy llwyddiannus na gweinidogion eraill mwy cyfyng eu hapêl. O'r saith eglwys y bu Tom Nefyn yn bugeilio'u cynulleidfaoedd, Edern ydi'r unig adeilad sy'n dal yn agored. Ond o ran hynny, ychydig iawn o bwyslais roddai Tom Nefyn ar aelodaeth ffurfiol; dod i addoli a gweithredu egwyddorion yr Efengyl yn y gym-deithas yn gyffredinol oedd yn bwysig yn ei olwg o. Rhaid cofio, hefyd, mai tymhorau eithriadol o fyr dreuliodd Tom Nefyn yn bugeilio'r gwahanol eglwysi; y naw mlynedd yn Edern a Greigwen oedd y cyfnod hwyaf. 'Dw i'n siwr braidd mai cyfnodau byrion o ynni mawr a gweithgarwch diflino oedd ei *forte*.

Mae darllen ei anerchiadau i adroddiadau blynyddol y gwahanol eglwysi, a'u cymharu, yn awgrymu i mi ei fod yntau yn fwy blinedig wedi

49. Tom Nefyn a'i 'Gylch' yn Edern, 1956.

Rhes gefn: Robert W. Rowlands, Trefan; Hefin Wyn Williams, Tynllwyn; Ellis Jones, Llysfor; Gwilym Williams, Siop Groesffordd; Meredydd Williams, Bryntirion; Griffith Richard Williams, Gerddi; Griffith Thomas Williams, Bryngwydd; Dafydd Jones, Llysfor; Thomas Evans, Cwmistir Isaf; Humphrey Evans, Hendre; Richard Williams, Brynogof.
Ail res o'r cefn: Nellie Jones, Brynafon; Griffith Jones, Frondeg; Robert Roberts, Tycroes; Griffith Robyns, Tynllan; Richard Jones, Lon Llan; Huw Evans, Cwmistir Isaf; Margaret M. Griffith, Cae Glas; Robert Jones, Gerddi; Jean Jones, Tŷ Rutan, Botwnnog; Jennie Williams, Llwyn Helyg.
Trydydd rhes o'r cefn: Lisi Roberts, Hyfrydle; Elizabeth Forbes, Penbryn Terrace; Mary Jones, Lon Llan; Catherine Jones, Llysfor; Ruth Williams, Tynllwyn; Netta Williams, Pentrellech; Annie Rowlands, Trefan; Kathleen Jones, Morawel; Ceri Nefyn Williams (gwraig y Gweinidog); Catherine Jones, Mount; Menna Robyns, Tynllan; Jane Owen, Bryngolau; Beryl Williams, Beniel; Kate Williams, Bryntirion.
Rhes flaen: Ann Williams, Brynogof; May Roberts, Tycroes; Megan Jones, Ty'n Coed; Parch. Tom Nefyn Williams; Enid Williams, Bryntirion; Jane Williams, Bryngwydd; Mair Eluned Williams, Llwynhelyg; Mattie Evans, Hendre.

iddo groesi ei hanner cant. Roedd ei anerchiadau yn nyddiau Rhosesmor yn faith, ac yn sôn yn gynhyrfus am y llwyddiannau oedd wedi bod neu'r cynlluniau gwahanol oedd ar y gweill. Wedi cyrraedd Edern, coffadau byrion geir ganddo'n bennaf, *cameos* hyfryd, yn cofnodi'r gorau am aelodau'r eglwys a fu farw yng nghorff y flwyddyn. Roedd, mae'n debyg, wedi cyrraedd ei anterth fel bugail eglwys cyn cyrraedd Edern a Greigwen; nid na chyflawnodd o fwy yno mewn cwta naw mlynedd nag a wna'r 'gweinidog at iws gwlad', arferol, cyffredin, mewn oes o lafurio cyson.

16. BUGAIL I BAWB

Beirniaid llymaf Tom Nefyn oedd rhai o'i gyd-weinidogion. Yr elfen waelodol, mae'n debyg, oedd eiddigedd. 'Doedd ei gyd-weinidogion, serch pob ymdrech at dduwioldeb, ddim yn deall pam roedd Abel yn medru offrymu i Dduw 'aberth rhagorach na Cain'! Ond nid hynny oedd unig asgwrn y gynnen chwaith. Mewn dyddiau gwahanol, pan oedd digon o weinidogion mewn pentref a thref i fedru sathru traed ei gilydd, roedd yna fath o gwrteisi proffesiynol nad oedd neb i fugeilio dafad i fugail arall. Roedd Tom Nefyn yn byw uwchlaw confensiwn o'r fath ac yn dehongli'i weinidogaeth mewn ffordd wahanol. 'Does dim dwywaith nad oedd o'n ystyried ei hun yn fugail i bawb ac yn naturiol roedd hyn yn arwain i densiynau a drwgdeimlad tuag ato ymhlith gweinidogion llai llwyddiannus neu fymryn yn groendenau.

50. 'Ar ei feic i'w grwydr â fo'.

'HEB ATAL I YSBYTAI'

Dychmygwch am Tom Nefyn yn clywed yn ddamweiniol nos Sul am rywun yn wael yn Ysbyty Brenhinol Lerpwl, a'r bore Llun canlynol, gyda'r wawr, yn ei hunioni hi am Lannau Mersi gan gyrraedd y claf erbyn deg y bore i offrymu gweddi hefo fo. Yr un bore Llun, mae gweinidog swyddogol y claf hwnnw, sydd wedi cael yr un wybodaeth, yn mynd ati'n ddiwyd i ddechrau paratoi gogyfer â'r Sul canlynol – rhag ofn i amser fynd yn brinnach yn nes ymlaen – a bore Mawrth mae o'n cychwyn yn ei gar am Lerpwl gan gyrraedd yr ysbyty wedi cinio i gael ei gyfarch â'r cwestiwn: 'Lle 'dach chi wedi bod? Roedd Tom Nefyn yma ben bora ddoe, yn gweddïo hefo mi!'

Yn 1957 roedd fy nhad yn glaf yn Ward 8, ward y Cymry, yn Ysbyty Brenhinol Lerpwl ac mi rydw' i'n cofio'n dda mai'i siomedigaeth fwyaf ar y pryd oedd na lwyddodd Tom Nefyn i alw heibio'r ward. Roedd gan fy nhad ei weinidog ei hun, un roedd o'n ei edmygu a'i barchu'n fawr, ond 'doedd o ddim yn disgwyl iddo fo fynd cyn belled â Lerpwl a 'doedd o chwaith ddim yn siomedig am na chyrhaeddodd o yno.

Nid yn unig roedd Tom Nefyn yn fwy sgut ar ei draed ac yn cyrraedd cleifion ynghynt na'i gyd-weinidogion, roedd ganddo hefyd, gan amlaf, ragorach dawn i gyflawni'r gwaith.

Yn ychwanegol at hynny, roedd o'n un o'r ychydig fedrai droi ymweliad â chlaf unigol mewn ysbyty yn fath o sacrament gyhoeddus i ward gyfan – act y byddai sawl gweinidog yn swilio rhagddi – fel y cyfeiriodd Percy

---

. . . Dyma fynd ein dau o wely i wely, merched ifanc a thiciáu arnynt oedd y cleifion hynny, cyn darganfod y cyffuriau diweddar at y pla hwnnw. Mynd at y gyntaf. Pan welodd Tom Nefyn dusw o flodau wrth wely'r gyntaf, meddai 'fy ffrind, glywsoch chi'r dywediad, "Os bydd gennyt geiniog, pryn fara, fe geidw dy gorff: os bydd gennyt ddwy geiniog, pryn flodyn, fe geidw dy enaid".' Rhoes ef wên fach, ac ymaith â ni.

At y gwely nesaf - organydd yn un o'n capeli ym Môn. Eu cyflwyno, ac yntau'n codi at yr abwyd, cau ei lygaid a gofyn yn ei weddi am i'r Arglwydd roi iachâd iddi, er mwyn iddi gael eto seinio'i glodydd gyda'i bysedd. Cilio oddi yno wedyn, ar fyr o dro, ond heb frys.

Felly o'r naill glaf i'r llall, y gair addas bob tro, heb aros yn hir i fod yn embaras i'r claf, ond heb frys ychwaith . . . ac yna mynd yn olaf at y ferch oedd yn fwyaf neilltuol ar fy meddwl. Wrth y gwely hwnnw tynnodd Tom Nefyn gadair at y claf (dyma'r tro cyntaf iddo eistedd), ac yno y gadewais iddynt am ysbaid, ag yntau'n siarad yn dawel a dwys. Wrth droi ymaith o'r ward, mi welais yn llygaid y ferch hapusrwydd a serenedd . . . Ni lefarodd ef gymaint ag un ystrydeb, nid arhosodd yn hir wrth wely neb.

R. Gwilym Hughes: yn ei hunangofiant, *Dŵr Dan y Bont*, yn disgrifio'r ddau ohonyn nhw yn ymweld ag ysbyty yn Llangefni.

Hughes ati yn ei 'Sgribliadau' i'r *Clorianydd* 3 Rhagfyr 1958: 'Aeth at bob gwely yn y ward gyda gair cysurlawn a gwên ac yr oedd rhywbeth yn ei bersonoliaeth yn trydaneiddio'r lle. Wedi ymweld â phawb, cychwynnodd allan drwy'r drws ond trodd ei wyneb yn ôl i gyfeiriad y cleifion a thorri allan i ganu'n dawel:

> O! na bawn yn fwy tebyg
> I Iesu Grist yn byw . . .'

Wedi iddo fynd, dywedodd un o'r cleifion, 'Wn i am neb tebycach i Iesu Grist na Tom Nefyn.'

> Ar ôl cleifion yr âi
> Heb atal i ysbytai;
> Câi hanes un yn cwyno
> Ar ei feic i'w grwydr â fo,
> Yno'n hwyr mynnai aros,
> A'i gynnal wnâi ganol nos.
> (R. J. Roberts: *Cywydd Coffa*)

CYTHRAUL CANU

Un o afiechydon blin y cyfnod oedd y diciâu ac roedd ysbyty Bryn Seiont yng Nghaernarfon wedi'i neilltuo i fod yn sanatoriwm ar gyfer y cleifion. Yn rhinwedd ei swydd fel clerc i Gyngor Tref Caernarfon roedd W. Phillip Davies yn gynefin iawn â'r ysbyty, ac ag anghenion y cleifion a'u teuluoedd, ac fe aeth ati i drefnu cymanfaoedd canu ar nosweithiau Sul, wedi amser yr oedfaon, i gasglu arian er budd y dioddefwyr. Dros nos, bron, daeth 'Cymanfaoedd y T. B.' yn gyrchfan i gannoedd lawer yn siroedd Môn a Meirion yn ogystal â Sir Gaernarfon, gydag unawdwyr poblogaidd fel Sassie Rees ac Elwyn Jones yn rhoi eitemau.

Cyn bo hir cododd gwrthwynebiad i'r arfer, ac mewn eisteddiad o Henaduriaeth Llŷn ac Eifionydd yn y Babell, Llanaelhaearn yn niwedd Ionawr 1954 pasiwyd y penderfyniad: 'Ein bod yn anghymeradwyo cynnal Cymanfa Ganu sy'n gwneud elw ariannol at unrhyw achos yn y capelau ar nos Sul' gyda'r ychwanegiad y 'gofynnir i'r enwadau eraill am eu cydweithrediad'.

Roedd hyn yn gosod Tom Nefyn mewn congl gyfyng. Ar un llaw, roedd o'n bleidiol i'r cymanfaoedd ac yn arwain y canu yn achlysurol, ond ar y llaw arall roedd o'n Llywydd yr Henaduriaeth ac yn llywyddu'r cyfarfod lle condemniwyd yr arfer. Ond nid gŵr i eistedd ar ben llidiart oedd Tom Nefyn. Aeth ati i sgwennu llythyrau meithion i bapurau newydd, Cymraeg a Saesneg, i lastwreiddio peth ar benderfyniad y Cyfarfod Misol a chodi pont. 'Anghymeradwyo ' oedd gair yr Henaduriaeth yn hytrach na gwahardd ac roedd pob hawl gan eglwys i fynd ymlaen i drefnu cymanfa. Yna, fel pe i roi heli ar friw yr Henaduriaeth, fe aeth ati ym mhen pythefnos i arwain un ym Merea, Efailnewydd, ac roedd yr elw'r tro hwn, yn ôl adroddiad papur newydd, 'at gronfa'r Festri'!

Roedd William Phillip Davies a'i bwyllgor yn wenfflam. Cyhoeddodd lythyr hallt yn rhifyn 25 Hydref 1954 o'r *Herald* yn cyhuddo'r henaduriaethau o 'waradwyddo dros 120,000 o bobl a gyfrannodd gannoedd o bunnau er budd dioddefwyr o'r darfodedigaeth'. Roedd yr arian, nid yn unig wedi'i ddefnyddio i brynu setiau teledu i gleifion mewn ysbytai ond wedi bod o gymorth i gadw ffatri Manton yng Nghaernarfon yn agored am saith mlynedd ac roedd y ffatri honno'n rhoi gwaith ysgafn i 30 o ddioddefwyr.

Ond dal ati gyda'r cymanfaoedd nos Sul wnaeth rhai eglwysi hyd nes i'r arfer golli'i boblogrwydd. Cyn bo hir, roedd Idris Charles a'i griw i godi ffyrnicach sgwarnog drwy gynnal cyngherddau adloniadol yn y *Majestic*, Caernarfon, ar nos Sul; cyn bo hir roedd y diciâu i gael ei drechu (dros gyfnod o leiaf) a chyn bo hir iawn roedd y teledu, y clybiau a'r tafarnau i ddwyn y bobl oddi ar bawb.

CERDDWR ANGLADDAU

Tom Nefyn oedd yn arwain yr angladd cyhoeddus cyntaf y bûm i ynddo erioed, yn hogyn ysgol. Roedd yr amgylchiad yn un dirdynnol o drist i mi. Ar nos Fawrth, 8 Ionawr 1952 fe fu damwain enbyd pan laddwyd Evan David, un o'm ffrindiau ysgol agos i, yn hogyn pedair ar ddeg oed, wrth iddo seiclo drwy bentref Edern. Roedd yr angladd yn y capel y pnawn Sadwrn canlynol gyda dros 200 o blant ac ieuenctid yn bresennol, yn ôl cownt y papur lleol. Ychydig fedra' i gofio am yr oedfa honno.

Pan oeddwn i'n weinidog yn Nyffryn Conwy daeth galwad i mi gladdu merch o un o drefi mawr Lloegr, oedd â rhyw gysylltiad ag eglwys Pensarn, Cyffordd Llandudno. 'Doeddwn i ddim yn ei nabod hi nac yn gwybod amdani a 'doedd yr un o'm blaenoriaid i ym Mhensarn yn gwybod dim amdani ychwaith. Cynhelid yr angladd yn y fynwent fach ar ben y Gogarth. Cyrhaeddais y fan a'r blaenor ffyddlon John Hughes yn gwmni i mi. 'Doedd dim un o berthnasau'r ferch yno na neb oedd yn ei nabod. Ac yna, yn sydyn, daeth Tom yno, â'i wynt yn ei ddwrn fel arfer, ac achub y dydd. Roedd o'n nabod teulu'r ferch o hil gerdd! A chefais innau brofiad arall o'i ddawn ar lan bedd yn ei weddi y diwrnod hwnnw.

Sylwadau mewn llythyr gan y diweddar Barch. D. G. Merfyn Jones, Tywyn, dyddiedig 10 Medi 1957.

Mi rydw' i'n cofio'i bod hi'n un llethol o ddwys; a 'does dim dwywaith na fu i Tom Nefyn arwain y cyfan mewn ffordd oedd yn nodweddiadol wahanol.

Un peth oedd yn codi gwrychyn rhai gweinidogion yn y dyddiau cynnar oedd ei fod o'n mynnu cario mewn angladdau. Roeddan nhw, mae'n debyg, yn ystyried y peth fel ymdrech i fod ar y blaen iddyn nhw, ond mae hi'n ddigon posibl mai unig fwriad Tom Nefyn oedd uniaethu'i hun â phobl mewn galar. Yn nyddiau'r Tymbl agorodd fedd â'i gaib a'i raw i 'Huw Tom bach', un o anffodusion y gymdeithas, ac yn nyddiau'r Gerlan fe dorrodd o'r manylion ar garreg fedd gwraig weddw o Fethesda.

Gan amlaf roedd ymddangosiad Tom Nefyn mewn cynhebrwng, heb ei ddisgwyl na'i wadd, yn rhoi gwefr arbennig i deuluoedd oedd mewn profedigaeth ac yn rhoi rhyw anrhydedd i'r digwyddiad.

Nid nad oedd hi'n bosibl i Tom Nefyn, ambell dro, gamfesur maint y croeso. Yn yr *Ymchwil* mae o'n cyfeirio at angladd gwraig o'r Tymbl, 'Mrs Owen Owens', oedd yn cael ei chladdu ym medd ei diweddar ŵr ym Mlaenau Ffestiniog yn niwedd Mawrth 1947 ac yntau'n 'cael y fraint anhraethol' o ymuno â'r teulu yn gwbl annisgwyl iddyn nhw a chael rhan yn y gwasanaeth. Fodd bynnag, mewn sgwrs, fe eglurodd y Parch. Eric Edwards, Wrecsam, a'i briod, Mair – hithau wedi'i magu yn y Tymbl – fel roedd presenoldeb Tom Nefyn wedi creu annifyrrwch mawr i'r teulu. Roedd Owen Owens a'i briod ymhlith y rhai aeth allan o Ebeneser i Lain-y-Delyn, i gefnogi Tom Nefyn, ond wedi digio wrtho am iddo beidio â'u dilyn.

DYDDIAU RHYFEL

Hwyrach mai yn ystod blynyddoedd yr Ail Ryfel Byd y cafodd Tom Nefyn y cyfle gorau i sylweddoli y math o weinidogaeth ddi-ffiniau y credai ynddi.

Serch ei fod o'n casáu propaganda rhyfel â'i holl galon, 'doedd o ddim yn

---

Bu Bryn Llywelyn - ei gartref yn y Gerlan - yn fan setlo llawer problem yn ystod cyfnod yr heldrin; yno daeth 'infantryman' o Gymro a flinodd ar ufferneg lethol Saeson ei gatrawd; yno y daeth gwrthwynebydd cydwybodol o Genedlaetholwr liw nos, pan erlidid ef o bant i bentan gan yr "hen gyd-Gymry gwael"; yno y daeth y gwyddonydd o ffisegwr na fynnai roi ei ddoniau i wasanaethu rhyfel; yno y daeth y di-ddysg i chwilio am oleuni ynghanol labyrinth consgriptiwn; yno yr heigiodd cyfeillion agos i drafod eu hanawsterau a dieithriaid o bell i ofyn am gyngor.

Emyr Hywel Owen yn ei erthygl i'r *Faner*.

aelod o fudiadau oedd yn gwrthwynebu rhyfel ar sail cydwybod Gristnogol fel y *Peace Pledge Union*, a ganghennodd i ffurfio Heddychwyr Cymru yn nes ymlaen, neu'r Blaid Genedlaethol a wrthwynebai ar dir cenedlaetholdeb. Ond 'doedd neb yn fwy parod nag o i fynd i'r tribiwnlysoedd i gefnogi gwrthwynebwr cydwybodol.

Adeg yr Ail Ryfel Byd roedd ganddo ofal mawr am fechgyn ifanc oedd yn gorfod gadael eu cynefin. ('Doedd o'i hun, ychydig dros chwarter canrif ynghynt, wedi gorfod gadael ei gynefin am y Dardanelles cyn bod yn ugain oed.) Fe ddanfonodd sawl un ohonyn nhw, ar fys neu ar draed, o Fethesda i Stesion Bangor, ac yn bellach na hynny. Yn ei hysgrif yn *Llais Ogwan* mae Mrs M. E. Williams yn sôn amdano'n danfon bachgen o'r fath cyn belled â Bulford, ar gyrion Salisbury, er mwyn egluro i'r swyddog derbyn, mae'n debyg, amgylchiadau ac anawsterau'r llanc o Fethesda: 'Adre â fo wedyn, a

51. William David Hughes,
Ebrill 1942.

52. Ar ran y diwaith, Pafiliwn Caernarfon, Chwefror 1958.

chyn mynd i'w wely y noson honno, galwodd yng nghartref y bachgen i ddweud wrth ei rieni fod eu mab wedi cyrraedd pen y daith yn ddiogel'. Mae'r recriwt dibrofiad hwnnw, William David Hughes, yn ŵr mewn oed erbyn hyn, yn dal i fyw ym Methesda ac y dal i addoli Tom Nefyn – yn llythrennol bron.

'BARA CYN PREGETHU'
Yn niwedd y pumdegau roedd diweithdra yn broblem ddwys, yn arbennig felly yn Sir Gaernarfon. Yn nechrau Ionawr 1958, fe anfonodd Tom Nefyn lythyrau i'r *Cymro* ac i *Welsh Forum* y *Daily Post* i brofi mor ddwfn oedd y dolur: dim adeiladu cyson, llai o alw am weithwyr ar y ffermydd ac yn y chwareli, a phobl ifanc, o ddiffyg gwaith, yn cael 'eu llusgo i'r Lluoedd Arfog am ddwy a thair blynedd . . .'. Er syndod i ni heddiw – a ddylai fod yn ddoethach yn ein cenhedlaeth – roedd o blaid codi gorsafoedd niwclear yn niffyg unrhyw waith arall. Yn y cyfnod hwnnw, roedd yna sôn am y posibilrwydd o adeiladu un yng nghyffiniau Edern. Meddai wrth y *Daily*

Post: 'Surely a nuclear station would mean some work. Some people fear a break with tradition and dread losing holiday visitors. My personal feeling is that we must bring about a coming together of the old and the new, the scenic and the economic.'

Roedd gorymdaith y di-waith o Ddyffryn Nantlle i Gaernarfon, bnawn Sadwrn, 1 Chwefror 1958, gyda Band Trefor ar y blaen yn chwythu ymdeithganau poblogaidd fel *Chieftain* a *Loyal and True*, yn un o'r digwyddiadau mwyaf a welwyd yn y dre: un gohebydd wedi cyfri 7,000 yno, un arall 6,000, ac un arall, mwy ceidwadol, yn sôn am 4,000. Roedd *Y Cymro*, 6 Chwefror 1958, yn dal allan fod yno fwy o dorf 'nag oedd yng Nghaernarfon ar achlysur ymweliad y Frenhines'. 'Doedd Tom Nefyn ddim wedi'i ddewis i annerch y miloedd yn y Pafiliwn, ond fe'i gwahoddwyd i'r llwyfan gan Goronwy Roberts, A. S. – 'un o hogiau Bethesda'. Meddai Ifor Bowen Griffith yn yr un rhifyn: 'Fe ddaeth yn hamddenol. Hamddenol hefyd y safodd o flaen y meic, yn ŵr glân ei wyneb a gwyn ei wallt. Safodd yn ddistaw, a distawodd pawb o'r pedair mil. Ac am bum munud roedd y gogoniant yn ôl. Edrychai y plant yn syn, chwilotai y mamau am gadachau poced a thynnai'r gwŷr gefn eu dwylo dros eu llygaid.' 'Bara Cyn Pregethu' oedd pennawd yr *Herald* y Llun canlynol:

> Bwriodd y Parch. Tom Nefyn Williams hud ar y gynulleidfa, gyda'i retoreg wych. Clywais ddal gwynt tu ôl i mi pan ddechreuodd siarad drwy ddweud ei fod yn cofio sefyll wrth lidiart y Pafiliwn yn 1926 i gasglu ar gyfer 'soup kitchens' De Cymru. 'Daeth hen wraig ataf', meddai, 'a chusanodd fy llaw. Rhoddodd hanner coron i mi gan ddweud . 'Hwdiwch dyma fy mhres pensiwn iddyn nhw.'
>
> Aeth ymlaen i sôn am ei Feistr, 'mab i joinar'. 'Yr oedd cyrn yr aradr ar ei ddwylo yntau,' meddai, 'ac yr oedd yn werinwr i'r carn.' Yr oedd wedi gweld llwynog fel y gwelwyd ef wedyn gan R.Williams Parry, ac yr oedd yn sensitif i'r adar a'r blodau – ond nid anghofiodd am fara. Daeth yn bregethwr gwych – ond gofalodd am fara i'w gynulleidfa cyn pregethu iddynt. Ymhlith ei eiriau olaf oedd, 'O! blant, a oes gennych ddim bwyd?'

O gofio'r cyfnod, a chofio cefndir capel trwch y gynulleidfa, roedd hi'n ddigon naturiol eu bod nhw wedi torri allan i ganu 'Duw mawr y rhyfeddodau maith'!

Fel bugail i bawb, fe gyflawnodd o beth wmbredd o gymwynasau yn y dirgel. Mae'r chwedlau amdano'n bugeilio anffodusion cymdeithas ymhell tu allan i ffiniau parchusrwydd eglwys yn dal i frigo i'r wyneb. Yn 1926 roedd Alun Jones o Flaenau Ffestiniog, oedd yn hogyn deg oed ar y pryd, wedi bod ar ei wyliau gyda'i rieni ym Mhwllheli ac ar nos Sadwrn yn troi'n ôl am y Blaenau. Meddai mewn llythyr dyddiedig 10 Medi 1997:

> Pwy ddaeth i mewn i'r *bus* ond hen dramp oedd yn ymweld yn rheolaidd yn ei dro â rhai o bentrefi'r Gogledd ac a adwaenid fel Twm Glyn. Daeth i mewn, yn cario hen sach ddigon budr, ac eisteddodd yn un o'r seddau oedd o'n blaenau. Pwy ddaeth i mewn wedyn ond y diweddar Barchedig John Roberts, Caerdydd . . . Aeth yn ei flaen i eistedd ym mhen blaen y *bus*, heb ddweud gair nac edrych ar neb. Cyn i'r *bus* gychwyn pwy ddaeth i mewn ond Tom Nefyn, gan gyfarch y teithwyr eraill. Roedd yn cario rhyw *attache case* bychan. Ni phetrusodd lle i eistedd, ond cymrodd ei le wrth ochr yr hen Dwm Glyn a dechreuodd ymgomio gydag ef . . . Pan ddaethom i Borthmadog roedd yn rhaid newid bus, ac un o'r rhai cyntaf allan oedd John Roberts. Aeth allan yn union fel y daeth i mewn. Ond y peth nesaf welsom oedd Tom Nefyn yn rhoi'r case bach i Twm Glyn a lluchio'r hen sach dros ei ysgwydd ei hun a myned allan. 'Welaist ti hynna?' meddai nhad wrthyf. Do, fe welais y weithred ac mae wedi aros yn y cof byth er hynny.

'Dydi'r gymhariaeth, fel ag y mae hi, ddim yn un deg iawn. Roedd Tom Nefyn yn sicr o fod yn gyfarwydd â Twm Glyn, o bosibl wedi'i gyfarfod sawl tro wrth i'r ddau ohonyn nhw gerdded yr un priffyrdd. Dyn dieithr oedd o i John Roberts. Ond mi fyddwn i wedi proffwydo mai dyna'r union sedd y byddai Tom Nefyn wedi anelu amdani ac roedd cyfnewid y 'sach budr' am y 'case' yn ddameg fwriadol ganddo i ddangos i bobl yr hyn oedd o'n gredu. Ond yn ei gyfnod, ac yn ôl ei gyfle, roedd Tom Nefyn yn caru'i gyd-ddyn mewn ffyrdd oedd yn eithriadol o wahanol.

TOM NEFYN WILLIAMS

Yn llanc o fro'r pysgotwyr
   Atebaist tithau, gynt
Alwad y Gŵr a brofodd
   Galed, wylofus hynt,
Yn broffwyd unig, fel y Saer,
Cynigiaist Grist i'r byd yn daer.

Nid gerddi moethus bywyd
   A brofaist ar y daith,
Ond Gethsemane beunydd
   Fel Gŵr y chwys a'r graith,
A gwnaed i ti, fel Yntau, Groes
O waith Crefyddwyr cul yr oes.

Ni cheraist Gyfundrefnau
   Na Chynadleddau'r dydd,
Oblegid fflam dy galon
   Oedd fflam y Ddwyfol Ffydd,
Am hynny, ceraist, fel dy Grist
Ddynion yng ngafael pechod, trist.

Nid oes un maen a selia
   Dy berson yn y bedd.
Bydd sain dy lais hyfrytaf,
   A threm dy ddwyfol wedd
Yn crwydro'r cymoedd, megis cynt,
Pan roist i Gymru'r Nerthol Wynt.

John Llewelyn Roberts

Ymddangosodd yn *Y Cymro*, 4 Rhagfyr 1958.

17. 'PROFFWYD Y FFAIR A'R PRIFFYRDD'

Pan ddisgynnodd fy llygaid ar y pennawd *Cysgod y Bws i'r Gair* uwchben llythyr 'At y Golygydd' mewn rhifyn o'r *Herald* fe drodd y print yn ffilm o atgofion. Tom Nefyn oedd yr awdur a fo'i hun, hyd y gwela' i, oedd wedi bathu'r pennawd.

Yn ystod yr wythnos lawn gyntaf ym mis Medi 1954 roedd Cymdeithasfa'r Gogledd yn cyfarfod ym Mhwllheli ac roedd y pwyllgor lleol wedi gofyn i'r Grŵp Efengylu – oedd yn cynnwys rhai o weinidogion Henaduriaeth Llŷn ac Eifionydd a lleygwyr cefnogol – gynnal oedfa awyr agored ar y Maes ar y dydd Mercher, diwrnod marchnad. Ond pan wawriodd hwnnw, roedd hi'n fore stormus rhyfeddol a gwynt deifiol yn gyrru pawb am gysgod. Dyna pryd y daeth y cwmni bysus i'r adwy, ac at y gymwynas honno roedd Tom Nefyn yn cyfeirio yn ei lythyr i'r wasg: 'Gyda dychymyg, ac awydd i helpu ymgyrch yn yr awyr agored, dyma 'Hogiau'r Crosville' yn gosod tri bws llofft-a-llawr ar hanner tro i gysgodi rhwng y gynulleidfa fawr a'r gwynt.'

Fe anfonodd neges debyg i'r *Caernarvon and Denbigh Herald* a'r pennawd yn y fan honno oedd *'Thank You Boys'*!

'Does gen i ddim cof pwy o 'Hogiau'r Crosville' gafodd y syniad – er fy mod i'n gweithio i'r cwmni ar y pryd – ond mae'n amheus gen i fyddai unrhyw weinidog arall, ar wahân i Tom Nefyn, wedi cael cymwynas o'r fath heb ei gofyn.

Yn yr *Herald*, y Llun canlynol, roedd yna atodiad i'r digwyddiad, yn dweud fel roedd yr efengylu hwnnw wedi peri i un newid ei feddwl; roedd hwnnw, ar wahân i fod yn ysgolhaig disglair, yn un oedd i bregethu drannoeth: 'Ar bregeth yn ystod Cymdeithasfa'r Methodistiaid Calfinaidd ym Mhwllheli yr wythnos ddiweddaf, dywedodd y Parch. Athro Bleddyn Roberts ei fod wedi cerdded allan o un cyfarfod oherwydd y modd y trafodwyd rhyw fater. Ei fwriad oedd mynd adref, ond ar y ffordd at y bws clywodd y Parch. Tom Nefyn Williams yn pregethu wrth y dorf yn yr awyr agored. Ciliodd ei ddiflastod ac arhosodd.'

Dyna oedd yn gwneud Tom Nefyn yn wahanol i weinidogion ei ddydd a'i gyfnod. Roedd o'n 'efengylydd' yn ogystal â bod yn bregethwr a bugail eglwys.

Roedd amryw o'r farn mai efengylydd oedd o'n bennaf, o ran natur a

53. Sasiwn y Plant, Pwllheli tua 1950.
'Am ganu Tom Nefyn y byddai'r siarad wedi'r Sasiwn' (gweler tud. 13).

dawn, ac y dylid rhoi cyfle iddo'i gysegru'i hun yn gyfan gwbl i'r gwaith hwnnw. Fe wyntyllwyd y syniad, ond rhywfodd ni fwriwyd y maen i'r wal. Roedd y mater i fod ar raglen Cymdeithasfa oedd i'w chynnal yn y Gaerwen, Ynys Môn, yn Nhachwedd 1945, ond cyn i'r gwersyll gyfarfod fe anfonodd Tom Nefyn air i'r *Cymro*, 30 Hydref 1945, yn hysbysu ei fwriad i ymddeol o'i Ofalaeth ym Methesda yng ngwanwyn 1946 a mentro fel efengylydd ar ei liwt ei hun 'heb un arlliw o swydd arbennig nac o gyflog sefydlog'.

Yn yr un llythyr, mae o'n apelio ar y Sasiwn i wrthod yr awgrym.

Fel y cyfeiriwyd, Pwllheli fu ei ganolfan wedi iddo adael Bethesda a goruchwylio eglwysi Tarsus a South Beach yn rhan o'r cynllun. Fe alla' i ddychmygu iddo fwynhau'n fawr y tair blynedd a dreuliodd o fel efengylydd, ond dychwelyd at y gwaith o fugeilio eglwysi wnaeth o yn 1949. P'run ai hiraeth am waith mwy sefydlog ynteu'r esgid yn gwasgu'n ariannol a'i gyrrodd o'n ôl i'r weinidogaeth ffurfiol mae hi'n amhosibl gwybod erbyn hyn, ond o hynny ymlaen, gwaith ychwanegol ac achlysurol fu efengylu iddo.

Fe allai Tom Nefyn godi stondin ar y foment, fel roedd o'n cael ei gymell neu fel byddai'r cyfle. A 'doedd hi ddim yn hanfodol i gael cynulleidfa fawr bob tro. Yn ei lythyr ataf, fe gyfeiriodd D. G. Merfyn Jones at ddigwyddiad felly ar y ffordd fawr rhwng Pistyll a Llithfaen ganol haf 1955. Roedd Merfyn, a Dilys ei wraig, ar hwylio'n ôl i'r India fel cenhadon ac yn treulio diwrnod yn Llŷn gyda'r Parchedig John Smith, Birmingham a'i briod – y ddau ohonyn nhw'n gyfeillion ysgol a choleg: '. . . ar y ffordd yn ôl dringo allt serth tua Llithfaen a gweld dyn yn gwthio'i feic i fyny'r allt o'n blaenau. "Tom Nefyn ydi hwnna," meddai John a stopio'n syth ar ôl i ni ei basio. Ac allan â ni'n pedwar a John yn dweud 'mod i a Dilys yn cychwyn am India drannoeth. "Rhaid i ni gael Cyfarfod Gweddi 'ta'," meddai Tom ac felly y bu. A dyna Gyfarfod Gweddi rhyfedd oedd hwnnw ar ganol lôn wledig yn Llŷn. Ac roedd o mewn ffordd yn gyfarfod ffarwél hefyd. Welais i mo Tom wedyn.'

Yn *Yr Etifeddiae*th, ffilm gynnar a gynhyrchwyd gan John Roberts Williams a Geoff Charles, ceir clip o Tom Nefyn yn efengylu yn un o ffeiriau Cricieth. 'Dw i'n cofio'i fod o ac eraill o'r Grŵp Efengylu yn 'ffair fawr' Cricieth yn niwedd Mehefin1957; ar ei anogaeth, fe fentrais innau ddweud gair oddi ar balmant am y tro cyntaf erioed, yn fyfyriwr cwbl ddibrofiad, gan gystadlu yn erbyn yr 'Harry Cross' hwnnw oedd yn crwydro o ffair i ffair i werthu'i nwyddau. Ond roedd efengylu yn yr awyr agored yn rhan o weithgarwch y Sul iddo fo yn ogystal. Wedi tair oedfa yn y capel, dyweder, roedd hi'n arfer ganddo i fynd â'i gynulleidfa allan i'r stryd neu i sgwâr y

54. Yr efengylwr ar y palmant, o ffilm 'Yr Etifeddiaeth'.

pentref a chynnal math o wasanaeth awyr agored i'r ardal yn gyffredinol.

Ar y pryd, gan gofio amodau'r cyfnod, roedd gan Tom Nefyn ddoniau oedd yn medru tynnu cynulleidfa i wrando arno'n efengylu. Yn un peth roedd ganddo bersonoliaeth oedd yn sefyll allan mewn tyrfa, yna llais cyfoethog oedd yn cario ymhell yn ogystal â dawn i ganu. Yn ei 'Sgribliadau' i'r *Clorianydd* fe gyfeiriodd y newyddiadurwr Percy Hughes at Tom Nefyn ac un o weinidogion Môn yn efengylu ar y palmant yn Llangefni: 'Yr oedd y diweddar Barch. Hugh Roberts, Elim, gydag ef, a chychwynnodd Mr Roberts wasanaeth o flaen y *Bull*. Go ddi-daro oedd y

Mi fyddwn i'n mynd lawr i'r Garej yn Edern 'ma, i ga'l papur dydd Sul er mwyn i mi ga'l risylts pêl-droed na fedrwn i mo'u ca'l nhw yn y *Daily Post* fore Lun. Mi fyddwn i'n mynd i lawr, ac mi fydda' ryw hen fachgan yn codi'r papur yma i mi bob bora dydd Sul. Ro'n i'n teimlo reit euog. Do'n i ddim yn medru mynd i'r capal adag hynny, roedd rhaid porthi'r anifeiliaid. Mynd i lawr i'r Garej, a dyna lle roedd saith neu wyth o hogiau ifanc wedi ymgasglu, ac yn siarad ac yn berwi, ond pwy ddaeth heibio i'r Post ac i mewn i'r Garej ond Tom Nefyn. Oeddan ni i gyd wedi ca'l yn syfrdanu!. A dyma fo'n cynnal gwasanaeth yn y Garej. Glywsoch chi 'rioed am weinidog yr efengyl yn cynnal gwasanaeth mewn Garej? Chlywis i 'rioed. Ond mi roedd o'n wefreiddiol, a deud y gwir.

Atgofion W. T. Watkin Jones, blaenor yn eglwys Edern, noson y dathlu.

102

bobl a'r drafnidiaeth yn brysio heibio. Dyma Tom Nefyn yn tynnu ei het, cau ei ddau lygad a dechrau canu'n wefreiddiol, "Diolch i Ti, yr Hollalluog Dduw am yr Efengyl . . ." Mewn ychydig eiliadau 'roedd y Sgwâr yn llawn a phlismyn yn rhedeg i reoli'r traffic a phobl yn dylifo o bob cyfeiriad.' Gan Tom Nefyn, mae'n amlwg, roedd y ddawn.

Fe'i gwahoddwyd o ugeiniau o weithiau i arwain ymgyrchoedd efengylu ymhob rhan o Gymru, a thu allan, ac i gynnal seminarau ar y grefft o efengylu i fyfyrwyr y colegau diwinyddol neu i grwpiau o weinidogion. Yn y pumdegau, fe fyddai Grŵp Efengylu Henaduriaeth Llŷn ac Eifionydd – a Tom Nefyn oedd ei enaid a'i arweinydd naturiol o – yn mentro i fannau fel y mart anifeiliaid ym Mryncir a Sarn Mellteyrn a'r ocsiwnïar yn rhoi cyfle iddyn nhw annerch y ffermwyr a'u gweision. Ar gyfer efengylu yn yr awyr agored bu ganddo sawl organ fechan ac roedd cyfeilio honno a chanu emynau i'w gyfeiliant ei hun yn gymorth i ddenu pobl i wrando.

Roedd o'n un o'r siaradwyr yn y cyfarfod protest enwog hwnnw ym Mhwllheli yn erbyn yr ysgol fomio ym Mhenyberth, ym mis Mai 1936, pan ddaeth hogiau lleol allan o dafarn y 'Mitre' i darfu ar y cyfarfod. 'Gwaedda faint fynnot ti,' meddai o wrth un ohonyn nhw, 'rhai fel ti waeddodd "Croeshoelier ef"!' Ond rwy'n amheus fyddai Tom Nefyn yn codi stondin efengylu yn yr awyr agored heddiw ond mi rydw' i'n bendant y byddai'n manteisio ar gyfryngau torfol fel radio a theledu, a'r rhyngrwyd, i ledaenu'r neges. Roedd o'n ddarlledwr dawnus. Yn ystod ail wythnos Ionawr 1957 bu'n arwain y myfyrdodau boreol *Lift Up Your Hearts* ar y donfedd Saesneg a'r gohebydd lleol yn Edern yn falch o gael hysbysu darllenwyr yr *Herald* mai 'efe oedd y Cymro cyntaf [o ran iaith a olygir, mae'n debyg] i wneud hynny'.

Hyd y gwn i, ym mis Medi 1958 y bu ar ymgyrch efengylu am y tro olaf. Roedd Cyngor Eglwysi Rhyddion Bangor wedi estyn gwahoddiad i fyfyrwyr y Coleg Diwinyddol, Aberystwyth i gynnal wythnos o

'Dw i'n cofio 'Nhad yn deud 'i fod o'n gwrando arno fo'n efengylu yn yr awyr agored ar y Maes ym Mhwllheli a bod yna griw o rai yn chwerthin ac yn cael hwyl ar gwr y dyrfa ac yn tarfu braidd ar yr awyrgylch addolgar. A medda' Tom Nefyn: 'Gyfaill ar gwr y dyrfa, clyw! 'Does yna ddim gwahaniaeth gin ti rhwng pnawn Mercher mwy na pnawn Sul; dim gwahaniaeth gin ti rhwng aelod o'r eglwys ac aelod o'r comin; dim gwahaniaeth gin ti rhwng y Beibl mwy na rhyw lyfr arall. Clyw! gyfaill. Clyw! Mae gwahaniaeth i tithau rhwng hen garrag arw ar ochr y Moelwyn a charrag fedd dy fam. A dyma fo'n codi'i ben i fyny, a dyma'r brawddegau fel llifeiriant ohono fo: 'Mae yna wahaniaeth rhwng calon Mari Slessor a chalon Mari waedlyd; mae yna wahaniaeth rhwng deg darn ar hugain Jwdas a dwy hatling y wraig weddw; mae yna wahaniaeth rhwng llaw paffiwr a llaw nyrs; mae yna wahaniaeth rhwng carreg aelwyd a charreg fedd.' Ugain gwaith cyflymach nag o'n i'n 'i deud nhw heb faglu ar draws yr un gair . . .

Parch. Iorwerth Jones Owen wrth annerch y cyfarfod dathlu.

Ym mis Mawrth 1949, ar ddechrau'i weinidogaeth yn Edern a'r Greigwen, fe wnaeth apêl mewn papurau newydd am organ yn rhodd:

Nid yw begera'n act barchus, er i'r Iesu bendigedig untro ofyn am dorthau ac am geiniog. Yn eu gwaith awyr- agored drwy gydol y blynyddoedd, ar brydiau mewn lleithder ac ar brydiau mewn gwynt sychoer, ymddrylliodd fy nwy organ-gludo; ac awyddaf yr awron am help i ganu ar nosau gwaith gyda 25 o blant mewn hen wersyll a drowyd yn nhrannoeth y Rhyfel yn bentref destlus, ond heb iddo fod yn offeryn rhy drwsgwl na drud iawn . . . Os gŵyr un o'ch darllenwyr am organ a fo ar werth, a chyfaddas i waith mewn hen gwt, byddaf yn falch o wybod amdani hi a'i phris.

Ychydig dros ddeufis yn ddiweddarach fe atebwyd ei gais. Cafodd y diweddar Barch. R.Gwilym Hughes afael ar un yng nghapel Cenhadol Mill Bank ac yn niwedd Mawrth fe'i llwythwyd ar y trên a'i hanfon o Gaergybi i Bwllheli - yn rhodd. Gyda'r troad fe anfonodd Tom Nefyn gerdyn post i fynegi'i ddiolchgarwch iddo:

Fy annwyl Gyfaill -
     Diolch o waelod calon. O law i law, ac yn ddianaf, cyrhaeddodd yr organ. Cefais nodiad trawiadol o Stesion Bangor ynglŷn â hi, ac ar stesion Pwllheli eto canwyd hi gan un Porter! Megis pob enaid a gyrhaedda'r Nefoedd, un ddiddorol fu ei stori. Diolch o waelod calon.

                    Cofion cu,
                    T. N. Williams.

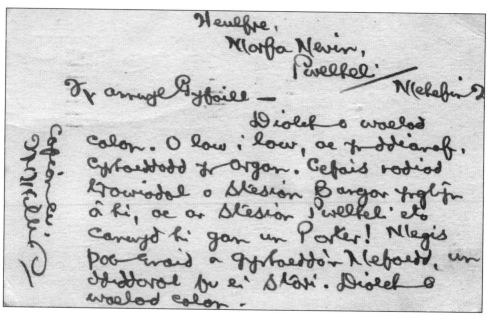

55. Cerdyn post Mehefin 1949. Llawysgrifen T.N.

56. Tom Nefyn a'r organ fach.

efengylu yn y ddinas ac fe estynnodd y myfyrwyr wahoddiad i Tom Nefyn i arwain y tîm. Fe anfonodd Tom Nefyn air yn ôl, gyda'r troad bron, yn cytuno â'n cais.

Dydd Sadwrn oedd y penllanw gyda chyfarfod awyr agored am ddau o'r gloch y pnawn wrth y cloc mawr yng nghanol y ddinas a Tom Nefyn i bregethu. Pan gyrhaeddwyd at droed y cloc roedd rheng o filwyr yn perthyn i'r Ffiwsilwyr Brenhinol Cymreig newydd fartsio heibio a band y gatrawd i'w glywed yn y pellter. Roeddan nhw newydd dderbyn rhyddfraint dinas Bangor y bore hwnnw. 'Dwn i ddim wyddai o hynny'n flaenorol ai peidio ond y foment honno fe gydiodd yn y digwyddiad a'i droi'n ddameg. 'Os y Mab gan hynny a'ch rhyddha chwi, rhyddion fyddwch yn wir', geiriau o Efengyl Ioan ddewisodd o'n thema ac fe aeth o ymlaen i sôn am y rhyddid a berthyn i'r gwir Gristion gan ddyfynnu geiriau o eiddo Paul : 'Canys ein 'dinasyddiaeth' ni sydd yn y nefoedd'. I gloi fe darodd o'r emyn 'Pwy a'm dwg i'r ddinas gadarn' ar y dôn 'Tyddyn Llwyn' a'r cannoedd yn ymuno gydag o yn y mawl.

Cafodd pedwar ohonom, a oedd ar y pryd yn fyfyrwyr ym Mangor, wahoddiad gan Henaduriaeth Dyffryn Clwyd i ddod am bythefnos i gynnal Ymgyrch Efengylu yn yr Henaduriaeth honno. Tua'r flwyddyn 1935 oedd hynny. Derbyniwyd y gwahoddiad yn awchus gennym ein pedwar, sef Glyn Williams, Treuddyn, Bryn Roberts, Blackburn, John F. Smith a minnau o Dalybont Dyffryn Conwy . . . Byth nid anghofiaf y dyrfa yn Ninbych, tua phum cant o bobl yn sefyll o flaen y grisiau a'r dorf yn ymrannu o dro i dro i'r traffig fynd trwodd. Glyn, Treuddyn, yn ei afiaith efo clamp o acordion o'i flaen. Y pedwar ohonom yn lleisio caneuon yr ymgyrch gan gynnwys un gan Marian, chwaer Glyn

Oes, mae Duw yn y nef
Sy'n gwylio, yn gwrando dy lef;
Paid ofni treialon y byd a'i ofalon,
Un tyner ei galon yw Ef;
Oes, mae Duw yn y nef
Sy'n gwylio, yn gwrando dy lef;
Mae Ef wrth y llyw.
Fe'th geidw yn fyw;
Clyw! Mae Duw yn y nef!

Yn sydyn gwelem Tom Nefyn yn gwthio'i ffordd trwy'r dyrfa i ymuno â ni ar risiau'r neuadd ac wedyn ddyn yn lifrai Byddin yr Iachawdwriaeth yn ei ddilyn. Os oedd y canu'n wresog cynt roedd yn ddwywaith mwy gwresog mwyach!

. . . Dwi'n cofio dim o beth ddwedodd neb ond John Smith, yn y cyfarfod rhyfedd hwnnw. Ond dwi'n cofio John yn dweud: "Rydwi'n hapus! Hapus!" a rhoi'r rheswm pam roedd o'n hapus; roedd o wedi dod i nabod ei Waredwr.

Atgofion D. G. Merfyn Jones, mewn llythyr.

18. 'YN EIRIOL Â'I LAIS ARIAN'

Roedd pregethu Tom Nefyn, hefyd, yn un o'r ychydig bethau fyddai'n rhannu 'nhad a mam: yn cyfareddu 'nhad ond roedd mam ofn y ddrama ac yn tueddu i gadw draw. 'Dydi hynny ddim yn golygu mai actio pregethu roedd o; i'r gwrthwyneb wir, roedd ei bregethau'n ddatganiadau cyhoeddus o'r hyn oedd o'n ei gredu a'i weithredu o ddydd i ddydd. Ond roedd ganddo gryfderau actor da: llais cyfoethog a'r gallu i'w godi a'i ostwng hyd at fod yn sibrwd llwyfan clywadwy, gan amlaf; dawn i ddefnyddio wyneb, dwylo, llygaid; chwaeth gerddorol gref, ac roedd torri allan i ganu'r emyn-dôn ar foment annisgwyl yn ychwanegu at y cyfanwaith. Roedd o'n medru troi pulpud digon cyfyng yn llwyfan i'w gerdded, gan gamu'n ôl ar brydiau, cyn belled oddi wrth ei gynulleidfa ag oedd yn bosibl, a dro arall, pwyso ymlaen i fod cyn agosed at ei wrandawyr â phosibl, neu hyd yn oed adael y pulpud a cherdded at yr organ i gyfeilio iddo'i hun. 'Doedd o ddim, yn fy marn i, yn euog o gynnal yr hyn alwodd un o feirniaid pregethwyr y ganrif o'r blaen yn *'theological concert'* – roedd ei angerdd wrth ddraddodi a'i gywirdeb yn lladd hynny – eto roedd o'n wahanol iawn i'r pregethwr traethodol, wedi'i angori yn yr unfan ac yn aredig ei ffordd yn rhesymegol drwy ryw athrawiaeth neu'i gilydd gyda dim mwy o amrywiaeth na pherorasiwn ar y diwedd.

Ddaru o erioed fynd ati i gyhoeddi'i bregethau. Drwy garedigrwydd Elwyn Parry, Caerffili – roedd ei dad a'i daid, fel yntau, yn ddilynwyr Tom Nefyn – fe gefais grynodebau byrion o bregethau draddodwyd ganddo dros gyfnod o flynyddoedd yn y De a'r Gogledd. Fe gyhoeddwyd crynodeb gweddol lawn o'r bregeth olaf draddododd o yn y gyfrol deyrnged; roedd Mari Lewis, un o golofnwyr yr *Herald*, wedi gwrando'r un bregeth, ychydig wythnosau ynghynt ac wedi cofnodi cymaint ag oedd yn bosibl ohoni.

Fe gyfaddefodd, unwaith, ei fod o'n medru meddwl yn well wrth gerdded nac yn eistedd yn ei stydi, ac ar ei draed mae'n debyg y cyfansoddodd o lawer o'i bregethau. Eto, hwyrach mai dim ond siâp ei bregeth oedd o'n gael wrth gerdded; yn y pulpud roedd o fel 'afon fawr lifeiriol' yn pentyrru syniadau cyfoethog ar gefnau'i gilydd – weithiau ymadroddion epigramatig, cofiadwy ('Fedri di ddim agor tiwlip hefo cyllell') dro arall, dadansoddiadau manwl o gyflyrau seicolegol ei wrandawyr, amgylchiadau gwleidyddol y dydd neu gyflwr cymdeithas, gan osod y cyfan ar gefndir y Beibl – ac ar y foment, megis, yn medru gwisgo'r cyfan mewn iaith ddealladwy ond gan ddefnyddio cyfoeth o ansoddeiriau a'r rheini, yn amlach na pheidio, yn syndod o annisgwyl. Serch ei ddawn *ex tempore*, roedd ei bregethu'n dangos iddo ddarllen yn eang iawn, unwaith, a bod ganddo'r gallu i gnoi cil ar yr hyn ddarllenodd a'i ddwyn i gof yn ôl y galw. Fel sawl cyfathrebwr roedd ganddo ymadroddion stoc: 'Clyw, ffrind', 'Maddeuwch galedwch y llais' (a 'doedd o byth yn galed), 'Gyfaill, gwrando', 'A gawn ni lacio llinyn y bwa?', 'Gwylia'r gainc' a'u tebyg. Yn y pulpud, roedd o'n lluniwr epigramau – ac ar sgwrs o ran hynny. Dyna un peth y cyfeiriodd W. R. Griffith ato yn y *Y Goleuad*, 14 Ionawr 1959: 'Dywedai ambell i frawddeg drawiadol iawn ar ei bregethau fel: "Ni ddeall ambell un guriad calon ei fam nes ei cholli"; "Fydd sipsiwn byth yn adeiladu dinasoedd".' Allan o'u cysylltiadau fel hyn, yn ail-law, heb ryferthwy'r dweud tu ôl iddyn nhw nac awyrgylch oedfa, maen nhw'n swnio'n ffansïol. Bron na ddwedwn i fod rhaid clywed rhywun yn dynwared y dweud i esbonio'u hapêl nhw at gynulleidfa, unwaith.

Serch ei wreiddioldeb arbennig fel pregethwr roedd, o ran ei arddull, wedi dal rhai o ffansïon y cyfnod. Roedd o'n arfer gwthio ambell ddywediad neu frawddeg Saesneg i mewn yma ac acw ac, o ran eu cynllun, pregethau tri phen oedd ganddo'n amlach na pheidio. Ond 'doedd o ddim yn perthyn i gategori y bardd-bregethwr, fu mewn cymaint bri yn y ganrif o'r blaen, er bod ei bregethau wedi'u pupro'n helaeth â sylwadau telynegol a disgrifiadau o fyd natur.

. . . Pregethai ar lori yn Nhalysarn unwaith ar noson o haf, a hyfrydwch ei huotledd, os nad oedd yn cael llawer o argraff, yn rhoi pleser i blentyn deg oed. Yn ddiweddarach, ym mhulpud crand capel mawr y Tŵr-gwyn ym Mangor, yr un llais cyfoethog, meddal, a'r un gallu i hoelio sylw ei gynulleidfa ac i'w chadw yn llwyr o dan ei reolaeth. Dweud ei destun deirgwaith. 'Yr oedd rhyw wraig . . .' y tro cyntaf. 'Yr oedd rhyw wraig weddw . .' yr ail dro. A'r trydydd tro, 'Yr oedd rhyw wraig weddw dlawd', a'r holl gydymdeimlad tyner gyda thlodi'r hen wraig yn fwrlwm yn sain y 'tlawd'. Yn ystod y bregeth disgrifiai fachgen bach a drych yn ei law yn sefyll ar balmant y stryd yn llygad yr haul ac yn fflachio adlewyrch o oleuni'r haul trwy'r ffenestr i ystafell wely ei chwaer oedd yn wael. Wynebai'r ffenestr i'r gogledd ac nid oedd yr haul byth yn tywynnu iddi, ond yr oedd ei brawd am i'r eneth bach gael gweld yr haul. 'Mae gennym ninnau Frawd . . .' Flynyddoedd yn ddiweddarach a mwy o arian yn ei wallt a mwy o gyfriniaeth yn ei bregeth ar fore Sul tenau mewn capel moel yn Llŷn a'r gynulleidfa at ei gilydd dipyn yn hŷn na chynulleidfa'r Tŵr-gwyn. Ond yr un ymdeimlad â geiriau a'r un ymgolli yng nghynllun celfydd y mynegi. Mewn gair, yr un pregethwr. Meddalwch? Efallai wir. Teimladrwydd? Mae'n bosib iawn. Gwir beth bynnag.

Gruffudd Parry yn Crwydro Llŷn ac Eifionydd.

57. Ar Enlli, haf 1957, ar achlysur agor gwersyll gwyliau i bobl ifanc.
Rhes gefn, o'r chwith i'r dde: Parch. O. J. Pritchard; Parch. Emyr Roberts; William N. Roberts; Robert W. Roberts; Tom Mann.
Rhes ganol: Tom Nefyn Williams; Margaret Pritchard; –; Parch. Glyn Williams; John Lloyd Jones; Annie Catherine Jones; Hugh O. Hughes.
Rhes flaen: Megan Jones; Jennie C. Williams; Sera Hughes; Parch. Glyn Jones a'i fab Dewi.

Mae hi'n anodd ffitio cynnwys ei bregethau i unrhyw gategori diwinyddol. Fel pregethwr 'efengylaidd' y meddylid amdano a hynny mae'n debyg am ei fod o mor aml yn gwneud apêl ar i'r gynulleidfa ymateb yn bersonol i'w neges a chysegru'u hunain i fod yn ddisgyblion i'r Arglwydd Iesu Grist. Ond 'doedd o ddim yn bregethwr 'efengylaidd' yn y traddodiad Protestannaidd, Calfinaidd, yn yr ystyr ei fod o'n pregethu athrawiaethau arbennig. Hwyrach mai'r wythïen redai drwy'i bregethau i gyd oedd ei bwyslais ar ogoniant person Crist, o ran ei eiriau a'i weithredoedd a'r hyn ddigwyddodd iddo ar Galfaria, a bod hyn yn gofyn am ymateb personol a gweithredu moesol yn y gymdeithas tu allan i furiau'r eglwys. Hwyrach fod Emyr Hywel Owen, wrth gofnodi ei hanes yn y Gerlan, wedi rhoi cystal disgrifiad â neb o gynnwys pregethau Tom Nefyn: '. . . pregethu fod y Crist oedd ar y ffordd i Emaus hefyd yn Grist i'r trallodus oedd ar y ffordd i Fynwent Coedmor; pregethu fod Archangylion Bethlem yn bwysicach na '*Wellington Bombers*' yr *R.A.F.* . . . ond pregethu hefyd fod y byd mawr ei hun yn wael, a'i fod o angen meddyginiaeth Gristnogol.'

Yn rhannol, roedd o, mae'n siwr, yn nhraddodiad y 'pregethwr mawr' a deyrnasai yn oes Fictoria. Un o nodweddion llwyddiant y 'pregethwr mawr' oedd ei fod yn cael ei alw i'r uchelwyliau pregethu ac roedd hynny'n wir am Tom Nefyn gydol ei weinidogaeth. Penllanw uchelwyliau o'r fath oedd yr oedfa ddwy faril a'r cenhadon yn cyd- bregethu yn yr un oedfa, ond nid oedd arddull Tom Nefyn na'i bersonoliaeth, rhywsut, yn eu benthyg eu hunain i oedfaon o'r fath. Mewn ysgrif yn *Y Drysorfa*, Ebrill 1959, mae'r Parch. J. Glyn Williams yn cyfeirio at enghraifft o hynny: 'Daeth i Dreuddyn y waith gyntaf i bregethu yn ein cyrddau Hanner Blynyddol yn 1923, ei gyd- gennad oedd y diweddar Barch. Dr J. H. Howard. Yr ail noson, methodd Mr Howard â phregethu ar ei ôl, plygodd dros ochr y pulpud, ac meddai wrth Tom , a oedd â'i ben yn ei ddwylo mewn gweddi, "cymerwch y cyfarfod Mr Williams".'

Sut bynnag y teimlai yr 'ail bregethwr' roedd Tom Nefyn o'r farn – ac fe'i mynegodd hi yn *Yr Ymchwil* – mai'r 'oedfa gyffredin' oedd ei faes o ac nad oedd ganddo'r 'briod ddawn a'r arddull gogyfer â gwyliau pregethu'.

Fe gafodd fwy o ymateb i'w bregethu na'r rhan fwyaf o weinidogion ei gyfnod, yn lleol ac wrth dreiglo o fan i fan. Mae Dr Dafydd Wynn Parry yn cofio oedfa ddylanwadol felly yng nghapel Tŵr-gwyn, Bangor, rhywbryd yn y pedwardegau. Meddai mewn llythyr dyddiedig 15 Medi 1997: 'Yr oedd oriel y capel yn llawn o fyfyrwyr y Coleg Normal a'r Brifysgol. Yn anffodus nid wyf yn cofio'r testun ond wedi'r bregeth cododd Ambrose Bebb fel Llywydd y mis a gofyn a oedd rhywrai o'r gynulleidfa yn barod i gyflwyno'u hunain i Iesu Grist. Daeth oddeutu pymtheg o fyfyrwyr i lawr o'r oriel a sefyll o flaen y sêt fawr a Thom Nefyn yn eu hannerch.'

Mewn llythyr a ddaeth i law tua'r un pryd, fe gyfeiriodd Mrs Minnie Jones, Machynlleth, at oedfa ddigon tebyg yng nghapel y Graig, Eglwysfach. Mae hi'n ychwanegu fod presenoldeb a neges Tom Nefyn y noson honno wedi'i harwain hi i roi oes o ffyddlondeb i'r capel hwnnw: 'Nid wyf yn cofio dim am y bregeth y noson honno, ond cofiaf yn dda iddo ddod i lawr o'r pulpud a cherdded yn urddasol at organ fach, ac yn tynnu'r stops allan a chwarae a chanu:

> Mi glywais lais yr Iesu'n dweud
> "Tyrd ataf Fi yn awr . . ."

Yr oedd y chwarae a'r canu'n wefreiddiol. Er fy mod dros fy mhedwarugain mlwydd oed yn awr, cofiaf fod yna ryw ysbryd rhyfeddol yn yr oedfa y noson honno.'

Diddorol ydi'r disgrifiad roddodd y diweddar Barch.William Hughes, Beddgelert, yn *Y Drysorfa* Ebrill 1959 – Rhifyn Coffa Tom Nefyn – o oedfa yn Aberystwyth yn nechrau'r pedwardegau: 'Erbyn hyn yr oedd gorfoleddu cyffredinol yn y capel, a phawb wedi'i anghofio'i hun yn lân, ac yn llawenhau bod un cyfle eto wedi ei estyn inni i roi chwarae teg i'r Saer o Nasareth. Gwelwn ymhlith y dorf un o ddynion mwyaf gwastad a digyffro y dref yn sefyll i fyny ac yn ysgwyd ei gadach poced gan weiddi a'r dagrau lond ei lygaid, "Hwre i Iesu Grist".'

Hwyrach i William Hughes roi ar y mwyaf o baent ar ei frws wrth ddwyn oedfa arbennig i gof. 'Doedd yr ymateb i'w bregethu ddim mor emosiynol â hynna'n arferol, serch pennawd 'dros ben llestri ' y *Western Mail* ddeuddydd wedi ei farwolaeth: '*His hwyl was said to make men and women faint with fear*' . Ond mae hi'r un mor bosibl mai ni, mewn oes fwy materol, sy'n methu â chredu fod unrhyw ymateb ym myd crefydd naill ai'n bosibl neu'n werthfawr.

Yn Awst 1928, pan oedd dyfodol Tom Nefyn yn y fantol, fe gyhoeddodd Tegla ysgrif yn yr *Eurgrawn* yn trafod helynt y Tymbl a'r troi allan yn Nantgaredig. Ymhlith pethau eraill mae'n egluro fel y bu gwrando ar Tom Nefyn yn foddion iddo newid ei farn amdano. Yna, yn niwedd ei erthygl, mae'n disgrifio'i hun yn cyd-bregethu ag o yn y *Palladium*, Aberdâr, yn niwedd mis Mehefin 1928, ac yn ddigon call i fynnu cael pregethu'n gyntaf – serch ei fod o'n hŷn dyn a bod hynny'n groes i eticet y dydd. (A syndod pob syndod ydi i Tom Nefyn ganiatáu i hynny ddigwydd.) Mae o'n cloi'i ysgrif fel hyn: '. . . ni theimlais erioed o'r blaen cyn sicred am unrhyw bregethwr y byddai'n barod i ddisgyn yn farw os byddai hynny'n foddion i dynnu rhyw enaid at Iesu Grist . . . Erbyn hyn fy marn bwyllog amdano yw ei fod yn un o'r eneidiau dethol hynny na chyfarfyddir â hwy ond ychydig iawn o weithiau mewn oes.' A Tom Nefyn y **pregethwr** oedd wedi'i argyhoeddi o hynny.

Diolch i ti, O! Arglwydd am gapel Cedron. Diolch i ti am afon Cedron, afon yr ardd. Diolch i ti am afonydd y Beibl yma; diolch i ti am afon Ewffrates, hen afon Abram; diolch i ti am afon Neil, hen afon Moses; diolch i ti am afon Llyfr Eseciel yn llifo o dan riniog y tŷ; diolch i ti am afonydd Babilon, afonydd hiraeth dy bobl; diolch i ti am afon Iorddonen, hen afon Ioan; ond y pnawn yma diolch i ti am afon Cedron, afon yr Ardd. Draw mae'r bryn bythgofiadwy ac arno y teircroes, ac yn sŵn hen afon Cedron fe glywn ni'r curo draw . . .

Rhan o weddi offrymwyd gan Tom Nefyn mewn Cyfarfod Misol yng Nghedron, Pentrefelin, Cricieth, 14 Medi 1954, ac a ddyfynnwyd gan y Parch. Iorwerth Jones Owen yn y cyfarfod dathlu.

---

19. ENAID GWAHANOL

Dyn anhygoel o addfwyn oedd Tom Nefyn ond ar bregeth fe allai ddweud y caswir yn rhybuddiol a deifiol. Fel siaradwr cyhoeddus, roedd o'n medru bod yn gwbl glywadwy yn yr awyr agored, bellter mawr i ffwrdd, ond ar aelwydydd neu wrth deithio mewn car neu fŷs roedd hi'n arfer ganddo fo sibrwd siarad hyd at fod yn anghlywadwy bron. Dyna un peth mae Nefyn, y mab, yn ei gofio am ei dad: 'Adra ar yr aelwyd roedd o'n ddyn hollol wastad ei dymer, a hir ei amynedd, ac mi roedd o'n siarad mor dawel nes roeddwn i hyd yn oed, efo clyw perffaith ar y pryd, ar brydiau yn cael anhawstar i'w glywad o.' Roedd ganddo'r ddawn i fynd yn eithriadol agos at bobl – roedd yna gannoedd lawer yn eu hystyried eu hunain yn gyfeillion gwirioneddol iddo ac yn fodlon agor eu calonnau iddo yn fwy nag i unrhyw weinidog arall – ond eto fe safai o hyd braich i bawb fel na allai neb, hyd yn oed ei ffrindiau gorau, fynd yn hyf arno.

Yn y Rhifyn Coffa o'r *Drysorfa* roedd J. Glyn Williams yn dal i gofio am y llaw a'r llygaid, chwarter canrif wedi i'r ddau gyfarfod am y waith gyntaf yn 1924: 'Yn y man fe ddaeth i lawr [o'r llofft], ac ysgwyd llaw â mi – a phwy a anghofia ysgytwad llaw Tom Nefyn! Pan edrychais i'w lygaid, gwelais ryw oleuni na welais erioed ei debyg, y fath ddisgleirdeb! I mi ar y pryd yr oedd yn annioddefol, a gorfu i mi droi fy wyneb ymaith ar unwaith, tra parhâi yntau i gydio yn fy llaw. Na, nid wyf yn synnu i Saul gael ei ddallu gan ddisgleirdeb y Goleuni ar y ffordd i Ddamascus.'

TOM NEFYN

Rhyfedd na chawn glywed mwyach
 Sŵn ei ysgafn droed,
Cyfaill pur y 'Gŵr bonheddig'
 Mwya 'rioed.

Ofer fu dy ymchwil yma
 Am y trysor drud,
Ond dangosaist inni drysor
 Arall fyd.

Helpaist, ar dy bererindod
 Bawb, ond ti dy hun,
Gorffwys bellach yn nhangnefedd
 Daear Llŷn.

John Rowlands

58. 'Digon o amser ar ei ddwylo, bob amser.' Y wats *half-hunter* fu'n cadw amser iddo o ddyddiau'r Tymbl ymlaen. (gweler tud. 52)

Roedd o'n un cwbl siwr o'i alwad i waith arbennig, ac yn gwbl bendant ei genadwri o'r pulpud, ond heb fedru tanlinellu fawr ddim o ran credo ffurfiol gydol ei oes; yn rhoi'i anadl o blaid sawl achos a mudiad, megis heddychiaeth a chariad at wlad ac iaith, ond heb berthyn yn ffurfiol, cyn belled ag y gwn i, i gymdeithasau a mudiadau o'r fath; yn ddiwyd brysur o wawr hyd fachlud – yn gynharach ac yn hwyrach na hynny, hyd yn oed, yn aml iawn – yn darllen llyfr yn ddyddiol ar un cyfnod o'i fywyd, ond gyda digon o amser ar ei ddwylo bob amser i unrhyw un ddôi ar ei ofyn o. I droi eto at *Y Drysorfa*, dyna un peth oedd yn synnu y diweddar John Roberts pan oedd y ddau yn gyd-weinidogion ym Methesda: 'Rhyfeddais droeon at ei ddawn i ddal pen-rheswm â hwn ac arall, a gwneud hynny heb na brys na ffwdan i bob golwg, a minnau'n gwybod am alwad ddwys arno mewn lle arall ar y pryd. Y mae'n rhaid fod ganddo ddisgyblaeth chwyrn a chreulon arno ei hun i allu dod i ben â'i waith o ddydd i ddydd ac o nos i nos.'

Mewn pethau a ystyriai o dragwyddol bwys roedd o'n amlwg yn ŵr eithriadol o ymarferol, yn gweithredu ar fyrder ac i bwrpas. Mae'r llythyrau adawodd o ar ei ôl yn profi, nid yn unig ei fod o'n llythyrwr medrus yn y ddwy iaith, ond fod ganddo'r ddawn hefyd i ddehongli sefyllfa neu amgylchiad ac i gynnig ateb ymarferol neu, o leiaf, i fynd â'r mater yn uniongyrchol i lygad y ffynnon. Yn un o'i 'Bortreadau' wythnosol i'r *Cymro* ar 27 Tachwedd 1958 fe gyfeiriodd Goronwy O. Roberts at hynny: 'Gallai berswadio'r bobl ryfeddaf i wneud y pethau rhyfeddaf. Nid oedd neb yn anufudd i Tom Nefyn. Gwn hynny o brofiad. Llusgwn i ac eraill o bobman i wneud yr hyn a ofynnai, oblegid ni ofynnodd i neb wneud dim iddo ef ei hun.'

Mewn pethau a ystyriai yn llai pwysig gallai ddangos cryn naïfrwydd, naïfrwydd yn ymylu ar ystyfnigrwydd a dweud y gwir. Yn Edern, roedd hi'n antur i bwyllgor hyd yn oed i ddewis beirniaid i gyfarfod cystadleuol. Wedi i'r coelbren syrthio ar enwau arbennig, a phawb yn cytuno, yn cynnwys y Gweinidog, ac wedi i ysgrifennydd ffyddlon y pwyllgor anfon y gwahoddiadau allan, fe allai'r Gweinidog feddwl am enwau gwahanol ar gyfer yr un gwaith gan fynd cyn belled â chysylltu â nhw ei hunan a'u cael i dderbyn y gwahoddiad!

Serch ei fod wedi'i fagu ar ddyddyn ac wedi bod yn chwarelwr, roedd pethau mor elfennol â thrwsio ffiws drydan neu bynjar mewn olwyn beic, yn ôl un o'i feibion, yn ddirgelwch llwyr iddo. Eto, roedd o'n gelfydd ei ddwylo. I grwydrwr fel fo fe fyddai car wedi bod o gryn hwylustod. Fe fu

---

DAU ENAID HOFF, CYTÛN

Byth wedi i George Davies gwrdd â thad Tom Nefyn mewn cae ŷd ym Modeilias yn 1920 fe fu yna gyfeillgarwch oes rhwng y ddau a hwnnw'n un eithriadol o agos. O ran cefndir a magwraeth roedd George Davies a Tom Nefyn yn gwbl wahanol i'w gilydd . . . Credai'r ddau y dylid perthnasu crefydd a gwleidyddiaeth a gweithredu'r Efengyl mewn modd ymarferol.

'Does dim dwywaith nad oedd y ddau'n deall ei gilydd yn rhyfeddol ac i'r naill gynnal y llall ar adegau dyrys yn eu bywydau. Fe ddadleuodd George Davies o blaid Tom Nefyn adeg y troi allan, a gwneud hynny'n llafar ac yn y wasg . . . Yn ei gyfrol *Profiadau Pellach*, mae o'n egluro mai'r 'driniaeth' gafodd Tom Nefyn barodd iddo ymddiswyddo o'i ofalaeth yn Nhywyn, Meirionnydd.

Meddai Tom Nefyn, pan fu farw George M. Ll. Davies mewn ysbyty yn Ninbych nos Wener, 16 Rhagfyr 1949, o dan amgylchiadau hynod o drist:

Syrthiaist wrth gario'r groes,
Heb Simon i'th helpu gerllaw . . .

Y fo dalodd deyrnged iddo yn y gwasanaeth angladdol yn Nolwyddelan y dydd Mawrth canlynol.

ganddo un, unwaith. Ond yn ôl Nefyn, y mab: 'Roedd cymhlethdod y *gear-box*, a'r *clutch*, a'r sbardun petrol yn ddirgelwch hollol iddo, a 'doedd ganddo fo ddim pwt o awydd i gael goleuni arnyn nhw 'chwaith!' Unwaith buon nhw allan hefo'r car. Fe aeth hi'n ffradach rhwng y ddau, rhywle tua Nant Ffrancon; bu'n rhaid rhoi'r ffidil yn y to a'r car yn y garej!

CERDDWR MAWR

I Tom Nefyn roedd cerdded yn fath o grefydd ac fe ddaliodd ati i gerdded pan oedd cyfleusterau gwell ar gael. Yn wir, mae sawl coel amdano'n gwrthod lifft gan rai o'i gyfeillion ac yn mynnu pydru ymlaen am filltiroedd meithion ar ei ben ei hun gan gyrraedd ei gyhoeddiad yn hwyr a blinedig yn y fargen. Barn amryw oedd iddo gerdded yn ddiangenraid. Ond dadl rhai o'i gyfeillion agos oedd fod i'r cerdded diarbed hwnnw ei bwrpas hefyd: wrth gerdded roedd o'n myfyrio a chreu, ac roedd hi'n bosibl troi cerdded yn genhadaeth wrth iddo gwmnïa â'i gyd-fforddolion. Yr eironi oedd, fod teithwyr yn fwy awyddus i godi Tom Nefyn – a hynny er mwyn cael bod yn ei gwmni o – nag oedd o'i hun i gael ei gario gan neb ohonyn nhw.

Wedi dychwelyd i Lŷn roedd o'n deithiwr plygeiniol yn y tanceri llaeth fyddai'n teithio o Rydygwystl i Lerpwl. O wneud hynny, roedd o'n medru cyrraedd Ward 8, yr Ysbyty Brenhinol, dyweder, erbyn deg o'r gloch y bore. Yn ei ysgrif deyrnged iddo yn y gyfrol *Tom Nefyn* mae Dr Emyr Wyn Jones, oedd yn feddyg ymgynghorol yn yr ysbyty hwnnw ar y pryd, yn cyfeirio at enghraifft o'r fath: '. . . yr oedd Tom yn bryderus am gyflwr claf o Lŷn ac felly cododd gyda'r wawr. Nid oedd cwmwl lludded ar ei lygaid na blinder yn ei lais – yn wir ymddangosai'n siriol a diffwdan fel arfer. Ar ei ffordd yn ôl bwriadai alw yn yr Ysbyty yn Ninbych a chyrraedd gartref mewn pryd i'r cyfarfod noson waith yn y capel!'

Ond roedd o'n deithiwr yn lorïau llaeth Hufenfa De Arfon ar siwrneion llawer nes. Adnabyddiaeth felly, mae'n debyg, symbylodd John Rowlands, un o weithwyr yr Hufenfa, i gyfansoddi englyn coffa cofiadwy iddo a'i gyhoeddi yn *Y Cymro* 19 Chwefror 1959:

> O lewyrch Galilea – a Chanaan
> Cychwynnodd ei yrfa,
> Daliodd i'r funud ola'
> Yn dyst o'r 'Newyddion Da'.

'GWELODD ROI'I GEINIOG OLAF'

Roedd ô'n ystyried arian yn bethau i droi cefn arnyn nhw, i'w rhannu i eraill llai ffodus, neu i'w defnyddio pan na fyddai ganddo ddewis arall. O'r cychwyn cyntaf, pan ymsefydlodd yn y Tymbl, roedd 'cyflog gweinidog' yn rhywbeth i'w dderbyn yn betrus, o orfod yn unig, ac i ymatal rhag sôn amdano. Meddai Emyr Hywel Owen wrth gofnodi hanes eglwys y Gerlan: 'Pan ddaeth ef i gyfarfod y Pwyllgor Bugeiliol, ni fynnai drafod cydnabyddiaeth; o hynny ymlaen hyd 1946 ni bu trafferth o gwbl i gael mwy na digon o arian i Gasgliad y Weinidogaeth.'

Pan oedd gweinidogion eraill yn disgwyl codiad cyflog, fel roedd blynyddoedd yn mynd yn eu blaenau, arfer Tom Nefyn oedd gwrthod ystyried peth felly, ac mae mwy nag un enghraifft ohono'n mynnu gostyngiad yn ei gyflog pan oedd hi'n amser caled ar eglwys arbennig neu pan oedd pobl ei ofal yn ddi-waith neu mewn tlodi. Mewn ysgrif yn *Y Darian* 1 Rhagfyr 1927, cyfeiriodd E.P. Jones at yr hyn ddigwyddodd yn y Tymbl adeg streic 1926: 'Yn ystod y troad allan y llynedd, gwrthododd gymryd tâl fel bugail nac am bregethu. Bu hyn yn golled ariannol iddo o oddeutu £70. Rai misoedd yn ôl, mynnodd i'r eglwys dynnu £20 o'i gyflog fel bugail, am fod rhai'n cyfrannu ond yn gwrthod cydweithio ag ef. Nid oedd eisiau eu harian os na châi eu help moesol.'

Pan oedd diweithdra Pen Llŷn a Dyffryn Nantlle o dan drafodaeth, a chyflogau gweinidogion yn dechrau codi a'r gofynion ariannol ar aelodau eglwysig yn codi'n gyfatebol, fe gyhoeddodd Tom Nefyn lythyr yn *Y Cymro* 30 Ionawr 1958, o dan y pennawd *Eglwys, Gwaith a Golau*, a thynnu cryn nyth cacwn: 'A ddylwn i fodloni ar lefel cyflog 1957, a naill ai ymwrthod â chodiad eleni neu drosglwyddo'r swm ychwanegol hwnnw yn ôl i'r eglwys?'

Wrth wneud gosodiadau neu godi cwestiynau o'r fath roedd o'n dangos ei onestrwydd a'i ysbryd hunanaberthol ond roedd o hefyd, a hynny'n gwbl anfwriadol yn sicr, yn ymddangos fel pe'n ansensitif i amgylchiadau'i gydweinidogion. Yr un agwedd oedd ganddo at y gydnabyddiaeth a gynigid iddo am bregethu neu ddarlithio oddi cartref: gwrthod y cynnig, derbyn yr hanner neu'i roi i rywun mewn mwy o angen, fel y tybiai, naill ai yn y fan a'r lle neu ar ei ffordd adref.

I lawer iawn o bobl, oedd yn edrych arno o bell, roedd hunanymwadiad o'r fath yn ei wneud o'n arwr yn eu golwg nhw ac yn esiampl o sut y dylai'r gwir Gristion ymateb i bethau materol fel cyflog byw ond fe glywais i fwy o feirniadu ar Tom Nefyn oherwydd ei agwedd at arian, a'r cyhuddiad o esgeuluso'i deulu na bron ddim arall – nid bod yna arweiniad clir yn y Testament Newydd ar eiddo a'r bywyd Cristnogol.

LLENOR A BARDD

Fe gyfansoddodd Tom Nefyn ysgrifau a cherddi wrth y dwsinau a'u cyhoeddi mewn cylchgronau a phapurau newydd. Yn hyn o beth roedd o'n dynwared ei dad o'i flaen. (Roedd ei daid, Thomas Williams, tad ei dad, yn ddarllenwr pedwar llyfr – *Y Beibl, Taith y Pererin, Esboniad James Hughes* ac *Almanac Caergybi* – yn honni fod hynny'n ddigon o arfogaeth i neb ar gyfer byw.) Rywbryd wedi'r Rhyfel Mawr, fe gyhoeddodd gŵr o Gaernarfon, W. Williams, 74 Pentre Newydd, gasgliad byr o gerddi gyfansoddwyd gan Tom pan oedd y ddau ohonyn nhw yn yr Aifft, yn dwyn y teitl *Barddoniaeth Twm Nefyn*. 'Does yna ddim crefft arbennig yn perthyn i'r cerddi ond mae'r gyfrol brin hon yn un werthfawr, serch hynny, am mai dyma'r enghreifftiau cynharaf sydd ar glawr o'i waith fel bardd.

SYNDOD

Gwerthu cwrw dan amddiffyn
Dyn o Amlwch dyma hi,
Cario dryll er gwylio casgiau,
Lawr â'n gwron dyma'n cri;
Hen ddirwestwr Bryniau Cymru'n
Cuddio gelyn gwaetha'n gwlad,
Gwylio uwch hen elyn marwol
Llawer plentyn, mam a thad.

Mae'r dyddiad *'June 18, 1918'* uwchben y gerdd a'r frawddeg: 'Pan oeddwn yn gwylio y "Wet Canteen", un noswaith, yn y Polygon Camp, Caero, a fy hen gyfaill Twm Nefyn yn yr un camp. A dyma fel y canodd i mi.' Roedd llwyrymwrthod yn un o'r gwerthoedd y glynai milwyr o Gymru wrtho yn ystod y Rhyfel Byd Cyntaf – Tom Nefyn yn eu plith – a'r *Wet Canteen*, o'r herwydd, yn lle i'w osgoi. Cerdd ddychanol ydi hi ond yn dangos safbwynt yr awdur, serch hynny. Yn nes ymlaen yn y llyfryn mae yna gerdd yn dwyn y teitl 'Talu yn ôl i Twm Nefyn ' – gwaith W. Williams mae'n debyg – gyda'r eglurhad a ganlyn : 'Fy hen gyfaill T. W. yn gwylio'r "Wet Canteen".'

Cadw traddodiad i fynd wnaeth o fel bardd, yn hytrach na datblygu'r traddodiad hwnnw neu dorri'i rych ei hun, gan ddefnyddio'r un mesurau yn aml iawn â'i dad o'i flaen a chanu ar yr un math o destunau. Mae hi'n debyg mai cyfansoddi'n fyrfyfyr byddai o, yn amlach na pheidio, wrth gerdded y ffyrdd. Roedd hi'n arfer ganddo lithro i farddoni ynghanol ysgrif a gwthio cerdd neu ddwy i mewn i danlinellu'r hyn oedd ganddo mewn golwg.

Dyma ddyfyniad o gerdd gyhoeddwyd ganddo yn *Adroddiad Blynyddol 1944* eglwys y Gerlan yn chwipio'r hyn oedd o'n alw'n 'grefydd ddi-gapel' ac yn gwneud hynny'n ffyrnicach nag arfer.

Rhoed 'golfball' yn lle'r Beibl,
A'r radio yn lle'r Llan,
Y geiniog aeth i'r 'football pools,'
Ac nid i'r Achos gwan;
Pob Sul yn gyfle i fyned
Mewn 'Awstin Seven ' am dro,
Âi'r dorf i dŷ Duw Pleser,
Sef sinema y fro.

A gaed gwell byd
I werin gwlad?
O, na:
Brwydrau a beddau,
Dyna'n stâd.

Ar ei orau, mae'i waith o'n dangos fod ganddo'r ddawn a'r adnoddau i fod yn fardd da ond, oherwydd ei fyw prysur, neu am nad oedd ganddo uchelgais y gwir fardd, canu ffwrdd-â-hi geir ganddo'n aml heb ymdrafferthu

---

Cerddem o Ysgol Nefyn tua'r Pistyll un prynhawn, a hithau'n dechrau gaeafu. Esgidiau trymion. Digonedd o amser, a chryn dipyn o hwyl rhwng y genethod a'r hogiau. Plant y wlad oeddym, yn ymdeimlo mwy â galwadau'r galon nag â gofynion y cloc. Ond y diwrnod y soniaf amdano yr awron, er mor ddiddeall oeddym â'r ddau ar ffordd Emaus, synhwyrem rywbeth anghyffredin. Nyni yn mynd adref, ond pobl yn britho'r lôn, yn sisial siarad, yn tynnu am dref Nefyn. 'Evan Roberts, y Diwygiwr', yn dod i Gapel Isaf!

Y bore wedyn, a ninnau'n brecwesta, dyma fy nhad yn dechrau adrodd am y cyfarfod rhyfeddol. 'Biti garw, hogiau, na fuasech yng Nghapel Isaf neithiwr. 'Roedd hi'n orlawn yno, a channoedd oddi allan. Rhai yn gweddïo, y lleill yn canu . . . Ond distaw oedd Evan Roberts . . . Toc, dyma rywun o'r galeri yn torri allan i ganu'r dôn 'Llantrisant,' ar y geiriau 'O, na allwn garu'r

Iesu.' Dyblu a threblu, nes anghofio pob dim. Yn sydyn hollol, dyma law y Diwygiwr mud yn codi, fel un yn gorchymyn gosteg. Ar unwaith, dyma'r tawelwch mwyaf barnol. Yna, llefarodd air neu ddau, 'Rho fy hun . . .?

Mi elli roi dy amser, dy ddoniau, dy arian, dy wasanaeth. Y gamp fawr yw dy roi dy hun.' Erbyn hyn, prin y bwytaem ac yr oedd dagrau trymion fy nhad yn disgyn ar y bwrdd. Tybed a oedd a wnelo'r bore diangof hwnnw rywbeth â gafael emyn 533 [Cymer, Arglwydd, f'einioes i] arnaf mewn "Soldier's Home" yn 1917? Wn i ddim.

Diweddglo'i ysgrif olaf: 'Hyfrydwch yr Hydref'. Fe'i postiwyd ganddo ym Mhwllheli, 21 Tachwedd 1958, ddeuddydd cyn iddo farw, ac fe ymddangosodd yn llawn yn rhifyn 10 Rhagfyr 1958 o'r *Goleuad*. Roedd rhai o'r farn mai dyma un o'i oreuon.

gormod gyda'r mydr. O ran cynnwys a chrefft, bardd gwlad oedd yntau fel ei dad o'i flaen – serch iddo gael ychwaneg o addysg a bod ei brofiadau a'i ddiwylliant yn llawer lletach – ond o'u cymharu, caf y teimlad fod y tad yn sicrach o'i drawiad na'r mab a'i fod o, at ei gilydd, yn gryfach bardd.

TYNNU'R HOELION

Dringo wnaf i ben Calfaria
    O ddwfn serch at Iesu Grist;
Wrth im feddwl am ei farw
    Mae fy mron yn drom a thrist.
Oer yw'r mynydd tua'r Groglith,
    Collodd yntau'r fantell glyd;
Pechod oedd i neb groeshoelio
    Gŵr bonheddig mwya'r byd.

Yno'r af i dynnu'r hoelion
    Rhag i'w ddwylo rwygo mwy,
A rhof liain main ac ennaint
    Er mwyn lleddfu'r loes a'r clwy;
Tynnu wnaf y drain o'i dalcen,
    Drain hen goron wawd y llys,
Ac â pharchus law mi sychaf
    Ôl y poeri brwnt a'r chwys.

Awn â'i gorffyn briw ac ifanc
    Tua'r bedd dan goed yr ardd;
Yno, fel ym mhreseb Bethlem,
    Gorwedd gaiff yr Iesu hardd.
Hwyrach daw angylion eto'n
    Gwmni iddo yn y nos,
Ond bydd deigryn bach o hiraeth
    Mwyach ar bob lili dlos.

Cyhoeddwyd yn y gyfrol *Tom Nefyn*. Bu cryn ganu ar yr emyn hwn, ar y dôn *Minffordd*, ac fe'i canwyd yn y Cyfarfod Dathlu yn 1995.

Gallai ysgrifennu rhyddiaith yn raenus ac yma ac acw yn ei ysgrifau mae yna glytiau gleision rhyfeddol sy'n llenyddiaeth goeth. Roedd o'n chwannog iawn i fathu ansoddeiriau a berfau: yr 'Efengyl wedi'i *hufennu*'; '*Iddewoli*'r Sul'; '*graseiddio*'; 'creigiau *gwymonllyd* Gwlad Llŷn' ac ymadroddion tebyg . Yn rhyfedd iawn, ar bregeth neu wrth iddo annerch cynulleidfa roedd arddull o'r fath yn ddigon derbyniol, ond wrth ddarllen ei ysgrifau maen nhw, ar dro, yn swnio'n ffansïol hyd at fod yn dramgwyddus.

Ar wahân i lyfrynnau a phamffledi, un gyfrol gyhoeddodd o. Nid hunangofiant mo *Yr Ymchwil* yn ystyr gyfyng y gair; mae o'n fwy o ddadansoddiad o'i bererindod ysbrydol hyd 1946 ond yn cynnwys, wrth gwrs, dapestri o atgofion diddorol iawn. Fe'i cyhoeddwyd hi yn Ionawr 1949. Hyd yn hyn, 'dydw' i erioed wedi cyfarfod â neb lwyddodd i ddarllen *Yr Ymchwil* o glawr i glawr a'r farn gyffredinol ydi'i bod hi'n gyfrol anodd. Edrych i mewn i'w galon ei hun mae'r awdur, yn amlach na pheidio, a cheisio datrys ei gymhellion a'i argyhoeddiadau a chyfiawnhau ambell un ohonyn nhw. Gan ei fod yntau, fel yr awgrymwyd, yn bersonoliaeth gymhleth a gafodd brofiadau dyrys, mae o fel pe'n ganwaith ddrysu mewn rhyw rwydau, 'rhwydau weithiodd ef ei hun', ac mae hyn yn arafu'r stori ac yn ei chymhlethu hi'n rhyfeddol.

Dyna'r arddull wedyn. Pregethwr neu areithydd oedd Tom Nefyn wrth reddf, a'r hyn wnaeth oedd ceisio trosi'r arddull honno'n llenyddiaeth gyda'r canlyniad ei fod o'n rhaffu ansoddeiriau disgrifiadol ac yn sgwennu rhesi o frawddegau di-ferfau. Dyna oedd barn adolygwyr y wasg pan gyhoeddwyd y llyfr. Er enghraifft, William Morris yn adolygu'r gwaith yn y *Y Cymro* 1 Gorffennaf 1949: 'Nid yw'n taro'r marc bob gafael wrth gwrs, mwy na neb arall. Ceir brawddegau tywyll weithiau: a rhai eraill, hirion, a llawer o ganghennau iddynt nes bod dyn yn mynd ar goll cyn cyrraedd eu pendraw.' Yna Tegla wedyn, yn *Yr Eurgrawn*, yn cwyno bod ei 'arddull yn flinderus.'

I fod yn deg ag o, ymateb i bwysau wnaeth o, heb argyhoeddi'i hun o werth y gwaith, gan gyffesu yn y 'Rhagair' ei fod yn ansicr o'i grefft: '. . . cas gennyf y syniad o droi gwaed y galon yn inc oer; ac amheuwn a fedrid llunio unpeth â digon o raen ar ei iaith lafar a'i deithi meddwl i fodloni neb.'

Fel ei dad o'i flaen, cyfrwng oedd llenydda a barddoni iddo a'r 'neges' oedd yn bwysig. Mae o'n cloi ei 'Ragair' â'r frawddeg hon: 'Maddeued y Goruchaf i mi bob methiant trwsgl, ac amddiffynned dros unrhyw beth a fu o werth.' Hyd y gwela' i, yn yr un glorian roedd o'n tafoli gwerth gwaith pob bardd a llenor arall. Dyna oedd profiad Percy Hughes, profiad rannodd o â darllenwyr *Y Clorianydd*: 'Flynyddoedd lawer yn ôl cyfansoddais ddarn bychan, "'Run Rhai", ac fe'i cyffyrddwyd gan hwnnw. Yn ddiweddarach digwyddais gyfansoddi rhywbeth a dilyn mympwy go ryfedd a dweud na byddaf ond megis anifail y maes pan af i'r fynwent, wedi gorffen am byth. Cefais lythyr gan Tom yn fy nhynnu'n ddarnau am fynd i'r 'anialwch' wedi cân mor gadarn â "'Run Rhai." Cefais sgwrs am y cerddi hefo fo pan ymwelodd â'r ysbyty a hawdd oedd gweld fod y "rhigwm" cyfeiliornus wedi ei frifo'n fawr. "Peidiwch byth â mynd i'r tir ofnadwy yna eto," meddai, gan wenu'n garedig ac ysgwyd fy llaw. Sylweddolais ei fod yn wironeddol o ddifrif gyda'i gerydd caredig.'

'TAID A NAIN COEDPOETH'

'Taid a nain Coedpoeth' oedd William ac Emily Jones, *Beehive Stores*. Siopwr oedd William Jones wrth ei alwedigaeth, un o'r ardal ond wedi'i brentisio i'r gwaith yn y *Mona Stores*, Rhosllannerchrugog, cyn sefydlu'i fusnes ei hun yn y *Beehive* ar droad y ganrif. Ardal lofaol oedd Coedpoeth ar y pryd ac fe aeth William Jones ati i stocio dillad a chelfi ar gyfer y glowyr. Yn ogystal â gwerthu bwydydd, roedd o'n pobi bara yn y becws yng nghefn y siop ac yn mynd allan i werthu bara a nwyddau eraill i ardaloedd anghysbell fel Llandegla a Bryneglwys. Ond arbenigedd William Jones fel siopwr oedd y te roedd o'n gymysgu ac roedd yna gryn yfed ar y blend hwnnw gan

59. Taid a nain Coedpoeth.

121

60. Y Beehive ar ei newydd wedd, 1998.

bentrefwyr Coedpoeth; roedd yna gryn dyrru hefyd i'r *Beehive* i brynu y math o facwn roedd William Jones yn ei felysu a'i sleisio. Fel 'un o fasnachwyr mwyaf llwyddiannus y fro' y disgrifiwyd o gan un o'r papurau lleol, *Rhos Herald*, wedi'i farwolaeth 26 Ionawr 1959.

Ei ddiddordeb mawr tu allan i ofynion y busnes oedd y capel: achos y Methodistiaid Calfinaidd ym Methel, Coedpoeth, ac yn arbennig caniadaeth y cysegr. At ei gysylltiad â'r capel y cyfeiriodd gohebydd lleol *The Leader*, papur newydd wythnosol Wrecsam a'r cylch, ar 1 Chwefror 1959: '*For over 40 years he was deacon at Bethel C. M. Church and was senior deacon during latter years. Mr Jones possessed a good bass voice and was precentor at Bethel since 1914 and in 1944 he was presented with a testimonial by the church in recognition of his services.*'

Merch siop, ar un ystyr, oedd Emily ei wraig. Roedd hi wedi'i magu ym mhentref Gwynfryn, gerllaw, a'r teulu'n cadw llythyrdy y pentref. Diddordebau digon tebyg oedd ganddi hithau, ar wahân i ofalu am y cartref: bod yn gefn i William Jones yn ei fasnach, a chefnogi'r eglwys ym Methel, ac roedd hithau, fel ei phriod, yn hynod o gerddorol. Yn naturiol, roedd diwylliant yr ardal (ac roedd Coedpoeth, ar y pryd, yn fro ddiwylliedig a bri ar ganu yno) o gryn ddiddordeb iddyn nhw, yn ogystal â digwyddiadau bob dydd ym mywyd y gymdeithas a'r cwsmeriaid.

122

Fe anwyd dau o blant o'r briodas: Ceridwen, priod Tom Nefyn, a Llefelys ei brawd. Bu Emily fyw hyd 25 Mehefin 1968.

Fel 'fy nhad-yng-nghyfraith ffyddlon a charedig' y cyfeiriodd Tom Nefyn at William Jones yn ei hunangofiant ac fe glywais Nefyn, ei ŵyr, yn ei ddisgrifio fo fel 'mêt i 'nhad.' Fel y nodwyd, bu gan y teulu gar, unwaith – a 'doedd hi ddim yn hawdd i bob gweinidog fedru prynu car yr adeg honno, yn arbennig un mor llawagored â Tom Nefyn – ac mae hi'n eithaf tebyg mai teulu *Beehive Stores* oedd tu cefn i'r fenter. Yna, yn haf 1945, pan oedd Tom Nefyn â'i fryd ar fynd yn efengylydd ar ei liwt ei hun, fe brynwyd tŷ sylweddol ym Morfa Nefyn o'r enw Heulfre (Erwenni heddiw), mewn man dethol yng ngwynt y môr a'i gefn at Bortinllaen, ac mae pob lle i gredu mai William ac Emily Jones oedd tu cefn i'r fenter honno hefyd.

Fe fûm i'n ddigon ffodus i gael sgwrs hir am deulu'r *Beehive Stores* gyda Gweryl Myfanwy Owen, Coedpoeth – cyfnither i Ceri o ochr ei mam ac un fagwyd, yn rhannol, ar yr aelwyd. Hwyrach fod mwy o urddas a steil yn perthyn i Emily ond roedd hithau, yn ôl ei nith, yn berson eithriadol o hael. Mae Nefyn yn cofio'i daid a'i nain, yn y tridegau, pan oedd hi'n galed ar y glowyr, yn dangos llyfr cownt perthynol i'r siop iddo a dwy fil o ddyledion heb eu talu. 'Llosgwch o, William,' meddai Emily, a dyna ddigwyddodd.

CERI NEU 'MUSUS WILLIAMS'

Ar sail eu hir arfer o 'gadw pregethwyr', fe gynigiodd teulu'r *Beehive* lety noson i fyfyrwyr ddaeth i ardal Wrecsam i gynnal ymgyrch efengylaidd ac yno'r aeth Tom Nefyn a'i ffrind agos, J. D. Jones (Llangaffo, Môn yn nes ymlaen) i aros noson. Y noson honno, mae'n debyg, yr ymserchodd Tom a Ceridwen yn ei gilydd. Fe briodwyd y ddau ym Methel, Coedpoeth, dydd Iau 8 Hydref 1925, ac nid priodas geiniog a dimai oedd hi 'chwaith. Wythnos yn ddiweddarach fe gyfeiriodd gohebydd *The Leader* ati fel '*a very interesting and popular wedding*':

> *The chapel was tastefully decorated . . . The bride's dress was of white silk marocain panels of white georgette, caught at waist with spray of orange blossoms, silver shoes and stockings, veil of white tulle, secured with wreath of silver leaves and orange blossoms. Her bouquet was a sheaf of lilies and white heather, the gift of the bridegroom* [y grug o lethrau'r Eifl yn Llŷn, o bosibl] *. . . The reception was at the bride's home. Mr and Mrs Williams left for London where the honeymoon is being spent, the bride travelling in a navy blue costume, hat to match and fox fur . . .*

Roedd hi'n dda wrth facwn, blend te ac adnoddau'r *Beehive Stores* y dydd Iau hwnnw wrth iddyn nhw groesawu'r teulu o Lŷn, ac wrth i'r ddau deulu

61. Y briodas a'r gweinidog a'i goler gron, am unwaith.

ddymuno'n dda i'r pâr ifanc ar ddechrau'u bywyd priodasol. A stori dau fu hi, o hynny ymlaen, am yn agos i ddeng mlynedd ar hugain.

Mae hi'n amlwg iddi gael magwraeth gyfforddus, gysgodol, fel unig ferch y siop, a chyfle ar addysg dda yn ysgol enwog Grove Park ond fawr ddim paratoad i wynebu'r cyfrifoldebau a'r cyni oedd hi i'w hwynebu cyn ei bod hi'n ugain oed; o gofio hynny, hwyrach bod hi'n dda o beth mai gwyddor tŷ oedd y pwnc yr arbenigodd ynddo. Wedi Sasiwn Nantgaredig fe fu rhaid iddi hi a'i phlentyn adael y cartref a mynd i fyw i'r *Beehive* at ei rhieni ac yno y buon nhw am y tair blynedd nesaf. Fe allasai trawma o'r fath, a gorfod gwahanu oddi wrth ei gŵr am gyfnod hir, fod wedi chwalu'i phriodas a pheri iddi suro yn erbyn byd ac eglwys ond 'does dim prawf i hynny ddigwydd.

Ond o 1932 ymlaen, er cymaint *maverick* oedd Tom Nefyn, fe dreuliodd hi'i bywyd fel 'gwraig gweinidog' draddodiadol, ddigyflog, yn agor a chau drysau, yn cysuro ac yn cefnogi, yn cadw tŷ a moli Duw, fel roedd galw.

'Gweddw llongwr' fu hi, yn amlach na pheidio: ei gŵr yn cychwyn ar ei dramp yn blygeiniol ac yn dychwelyd i'w gartref i orffwyso yn hwyr y dydd. Mae'n ddiamau iddi etifeddu peth o addfwynder ei thad a'r urddas hwnnw oedd yn perthyn i'w mam. Fel un dawel, ddigynnwrf, mae rhai o'i theulu'n cofio amdani, yn medru cadw'i phen uwchlaw'r dŵr beth bynnag yr amgylchiadau. Ond roedd peth o'r sifalri a berthynai i'w magwraeth wedi colli'i liw arni, mae'n debyg; fel 'chi' y byddai hi'n cyfarch ei phlant ac roedd hi bob amser yn medru cadw pellter gweddus gyda phawb fyddai'n gyfarfod. Yr un pryd roedd ganddi ddawn eithriadol i fynd yn agos iawn at bobl, pan oedd galw am hynny, a pharodrwydd mawr i'w cynorthwyo ar adegau anodd.

Pan fu Tom Nefyn farw'n sydyn y nos Sul honno yn Nhachwedd 1959 roedd ei wraig wedi mynd ar ymweliad â'i brawd yng Nghoedpoeth a bu'n rhaid i Iona Roberts a'i phriod – y diweddar J. E. Roberts, Glanrhyd, Edern – fynd cyn belled â Chapel Curig i'w chyfarfod hi. Nid oedd ei brawd, Llefelys Roberts Jones, wedi torri'r newydd yn llawn iddi.

'Sut mae pethau?' meddai hi wedi cyrraedd i mewn i'r car.

'Drwg iawn, Musus Williams,' atebodd Iona Roberts. 'Fedra' pethau fod ddim gwaeth.'

'Mae o wedi marw?' meddai hithau.

'Ydi.'

Dyna sut y cafodd hi'r newydd.

Wedi cyrraedd i'r Hafod roedd yna bobl yn eu disgwyl nhw. Mae Iona Roberts yn dal i gofio Nefyn yn ceisio'i chysuro hi.

Ac mi fydda' Musus Williams yn 'i helpu o yn y Band o' Hôp. Ma' gin i go' da am Musus Williams yn dwad ato' ni - gan gofio wrth gwrs ma' cyfarfod dirwestol oedd y Band o' Hôp. Roedd gan Mrs Williams ddwy sosar, ac yn fy nhyb i dŵr oedd yn y ddwy sosar. A dyma hi'n tanio matsian ac yn ei gollwng hi i mewn i'r sosar. Mi ddiffoddodd y fatsian yn y dŵr, ac meddai Musus Williams, 'Os yfwch chi ddigon o hwn fydd arnoch chi ddim syched byth'. 'Ond am hwn', a throi at y sosar arall. A dyma hi'n gollwng y fatsian i'r hylif di-liw hwnnw.

Wyddoch chi be' ddigwyddodd? Dyma fflama'n codi i fyny i'r awyr, ac medda hi, 'Wnaiff hwn ddim byd ond codi mwy o syched arnoch chi!' Finna'n mynd adra, gwneud camgymeriad, a deud wrth Nain gymint gwell peth oedd y peth oedd yn gwneud y fflamau fynd i fyny i'r awyr. Ac mi ge's row i'w chofio, a blynyddoedd wedyn y dois i ddallt ma' enw arall ar yr hylif di-liw yna oedd *gin*!

Ann Jenkins wrth annerch cyfarfod dathlu canmlwyddiant geni Tom Nefyn.

62. Ei weddw.

Ymhen rhai blynyddoedd fe ailbriododd Ceri gyda Robert Thomas: dyn môr wedi llyncu'i angor ac actor amatur digon dawnus wedi iddo fo godi'r gangplanc. Fe fu hi farw y dydd olaf o Fawrth 1996 a'i chladdu gyda'i hail ŵr ym mynwent Morfa Nefyn.

Wrth gwrs fe gewch chwedlau di-ri gan bobl y goets fawr am gyni enbyd y wraig a'r plant pan oedd Tom Nefyn yn mynnu gwasgaru'i eiddo a'i dda a'u rhannu gydag eraill. Yn annisgwyl i mi, nid dyna dystiolaeth cymdogion nac aelodau'i deulu o ran hynny. Flynyddoedd wedi iddi golli'i phriod fe ofynnodd Gareth Maelor iddi a fu'r teulu mewn angen? 'Naddo, ddim unwaith, Gareth,' meddai hithau, 'ond mi roedd gen i dad a mam ffeind.' Ond fe gyfaddefodd hi wrth gyfeillion iddi mai unwaith erioed y buo'r ddau ohonyn nhw ar wyliau, yn Llundain [s'gwn i mai at y mis mêl hwnnw yn Hydref 1925 roedd hi'n cyfeirio?] ac iddi sylweddoli wedi blwyddyn o fywyd priodasol 'fod rhaid gadael i Tom ddilyn ei lwybr ei hun.' Yn ôl tystiolaeth cymdogion fu'n byw drws nesaf i'r teulu am nifer o flynyddoedd roedd yna berthynas naturiol, ddireidus, o anwyldeb mawr

63. Iona Roberts, haneswraig Edern, ger y garreg fedd.

rhwng y ddau ac yntau'n fawr ei bryder amdani pan ddeuai unrhyw awel groes. Yn ei erthygl i'r *Faner* fe dalodd Emyr Hywel Owen deyrnged haeddiannol iawn iddi: ' . . . wrth gofio cymwynasgarwch diwarafun y Parch. Tom Nefyn Williams, cofied y cannoedd a aeth trwy'r drws hwnnw hefyd am y sawl a'i hagorodd yn gwrtais iddynt, canys i'r sawl a gofia 1939 -1946 yn y Gerlan, mae ystyr arbennig iawn i ddeuair olaf llinell olaf 'Y Cyrn Hyrddod':

Gan gariad sydd yn fwy na chariad gwraig.

Yr oedd 'cariad' rhan gyntaf y llinell mor anfeidrol am fod cariad rhan olaf y llinell mor arswydus o ddifesur.'

20. 'NOS SUL Y BU'R NOSWYLIO'

Bu Tom Nefyn farw'n annisgwyl o sydyn, nos Sul 23 Tachwedd 1958, awr union wedi iddo ddraddodi'i bregeth olaf yng nghapel Rhydyclafdy. Y bore Sul hwnnw, ac yntau wedi seiclo o'i gartref yn Edern i Efailnewydd, roedd o wedi cydnabod wrth y gynulleidfa ei fod o'n teimlo'n flinedig, ac yn ystod oedfa'r bore fe soniodd am ei fam yn mynd ag o i'r capel yn hogyn deg oed adeg y Diwygiad ac yn dysgu emyn iddo wrth iddyn nhw gerdded o Fodeilias i'r Pistyll. Ac meddai o, yn broffwydol bron, 'Cyn bo hir byddaf yn ei chyfarfod yr ochr draw, a'm rhagorfraint i fydd cael diolch iddi am fy nysgu'. Yn ystod y dydd, rhwng y tair oedfa, roedd o nid yn unig wedi seiclo o gapel i gapel ond wedi beicio yn ôl a blaen i Bwllheli i ymweld â chleifion. Yna, yng nghartref un o flaenoriaid Rhydyclafdy – John Evans, Isallt – bu farw, ar ganol sgwrs, yn 63 mlwydd oed. Marw'n ddisymwth wedi rhuthr ei fyw, fel yr awgrymodd T. E. Nicholas wrth gloi'i soned goffa iddo gyhoeddwyd yn *Y Cymro*:

> Tithau o'th storm o fyw yn cilio'n dawel,
> Fel corwynt gwyllt yn troi yn dyner awel.

Cyn pen awr neu ddwy roedd y stori ar gerdded. Meddai Goronwy O. Roberts yn ei golofn wythnosol i'r *Cymro*: 'Trwy wlad Llŷn, cylchredodd y newydd syfrdanol fel trydan. Yn y lloergan oerllyd, daeth y pentrefwyr allan i'r ffyrdd i sôn am y peth.' Fe gyrhaeddodd y newydd trist i'r Coleg Diwinyddol yn Aberystwyth y bore Llun canlynol ac fe benderfynodd deunaw ohonon ni, Gymry Cymraeg yn bennaf, fynychu'r angladd – yn groes i ddymuniad y Prifathro – a llogi bỳs i fynd â ni i Edern i'r gwasanaeth.

Rydw' i'n dal i gofio mai pobl ifanc Edern oedd yn cario'r arch o'r capel i'r fynwent, a bod honno'n un hollol ddi-sglein – fel y byddai Tom Nefyn wedi dymuno – ac i blant ysgol fynd ati ar y terfyn i luchio dyrneidiau o bridd i'r bedd agored fel roedd pawb yn troi i ymadael. Wedi teithio cyn belled, dim ond y gwasanaeth ar lan y bedd ym mynwent Edern gafodd y deunaw myfyriwr o Aberystwyth: roedd y capel a'r festri wedi hen lenwi erbyn i ni gyrraedd yno!

TOM NEFYN

Nos Sul, ar ôl yr oedfa yn Rhydyclafdy, Arfon,
Holodd y pregethwr a oedd rhywun wedi aros ar ôl,
Ac yr oedd yn y cysgodion un wedi aros . . .

Nid oedd yr ymwelydd yn annisgwyl,
Awgrymodd y pregethwr yn y bore y gallasai fod yn y gymdogaeth;
Erbyn y nos, yr oedd wedi cyrraedd.
Adnabu yntau ei wyneb.
A'r farwolaeth dawel oedd ei gyfarchiad bodlon.

Blant bach Edern a Thudweiliog,
A'r sêr yn gwlychu eich gruddiau ganol-dydd,
Ar ôl pwy yr wylwch?

Ai eilun enwad? ai seraff Sasiwn?
Ai arwr mudiad? ai arloeswr Ffydd?
Neu, ar ôl gŵr a feddai drwydded
I deyrnas eich plentyndod,
Y diniweidrwydd sydd yn drech na dur?

Crefftwr yng ngweithdy Cariad ydoedd ef,
Artist mewn dynol glai;
Gwelodd angel yn y graig
A'i ebillion oedd amynedd a thrugaredd a gras,
Pob galw a etyb byd â bom a nwy,
Atebai ef â mwynder;
Ffrydiai daioni ynddo
A pherffeithrwydd ffynnon-dardd,
Gwisgai ei Fethodistiaeth fel bathodyn
O barch i ddynion llai,
A'r olygfa'n ein taro'n chwithig weithiau,
Yr wylan luniaidd, ddof yng nghell y llew;
Am nad oes rin i Ras
Yn y mudiadau a'r dogmâu dwfn
Heb wyneb yn rhywle
I befrio'r godidogrwydd ar y byd.
Heno, gwêl ardal a chenedl a chyfundeb
Ei fawredd gwylaidd
Fel mynydd newydd ar y map;
A daw atgof fel aderyn i'r gwyll uwch ben
Am ddigymar lais angel yn ein mysg
A chlasur wynepryd sant.

Rhydwen Williams

Ymddangos yn Y Faner wedi marwolaeth Tom Nefyn.

Ond fe gafodd Tom Nefyn sawl cyfarfod coffa ar ôl hynny a rhif y galarwyr fel pe'n chwyddo. *Tair Mil yn Cofio am Tom Nefyn* oedd y pennawd bras yn *Y Cymro* ar y chweched o Awst 1959: 'Tyrrodd tyrfa o tua tair mil ['tua dwy fil' oedd y cyfri yn ôl yr *Herald*] i Edern, nos Sul i Gymanfa Ganu i goffáu y diweddar Barchedig Tom Nefyn Williams. 'Roedd yno'n gyfangwbl tua pum cant o gerbydau a phedwar ar bymtheg o fwsiau. Tra canai'r gynulleidfa fawr rai o hoff emynau a thonau Tom Nefyn o'r daflen arbennig a baratowyd, ymlwybrai eraill at y bedd a'r groes wen a'i enw arni ar y codiad tir yn y fynwent.'

Yr un pryd, roedd artist lleol o gryn ddawn, Gwilym Roberts, Abererch, wedi peintio portread mawr ohono i'w arddangos yn Eisteddfod Genedlaethol Caernarfon yn Awst 1959 a chafodd y llun a'r artist gryn sylw. Yn nes ymlaen fe'i harddangoswyd yn ffenestr siop enwog *Bon Marche* – siop ddillad ym Mhen Cob, Pwllheli – cyn ei gyflwyno'n rhodd i ysbyty lleol.

Cyn diwedd 1959 fe aeth ardalwyr Rhydyclafdy ati i gasglu arian er mwyn gosod carreg goffa iddo ar ddarn o dir glas o flaen y capel, i nodi mai yno y pregethodd o am y waith olaf . Roedd yno un garreg yn barod i gofio bechgyn y fro laddwyd yn y Rhyfel Mawr a charreg arall, fwy anghyffredin, yn dynodi i Hywel Harris bregethu oddi arni pan oedd ar ei ymweliad cyntaf â gwlad Llŷn. Fe ddadorchuddiwyd y garreg goffa 23 Tachwedd 1959 – 'ar noswaith oer a gwyntog . . . ar ôl diwrnod glawog a drycinog' yn ôl *Y Goleuad* – flwyddyn union i ddydd ei angladd, gydag oedfa bregethu yn dilyn yn y capel a'r Parchedig Robin Williams, Dinmael ar y pryd, yn pregethu. Unwaith eto, roedd y Tŷ yn fwy na llawn.

Yna, yng ngwanwyn 1964, gosododd pobl Edern glamp o hysbysfwrdd pren, hardd yn union o flaen y capel yn goffadwriaeth iddo ac fe'i dadorchuddiwyd gan ei weddw yng ngŵydd tyrfa fawr o bobl leol. Ond yn ychwanegol at gronfeydd lleol, fe aed ati i sefydlu Cronfa Genedlaethol i'w goffáu ac fe

64. Y tair carreg yn Rhydyclafdy.

'ddylifodd yr arian' i mewn. Fe ddefnyddiwyd peth o'r arian i gyhoeddi'r gyfrol deyrnged, *Tom Nefyn*.

Yn fyfyriwr yn Aberystwyth roeddwn i'n arfer ysgrifennu colofn wythnosol, danbaid, i'r *Goleuad* o dan y pennawd bygythiol 'Cyn fferru'r Gwaed'; fel hyn yr ysgrifennais i yn rhifyn 7 Ionawr 1959: 'Bellach mae Tom Nefyn Williams wedi'i gladdu, eithr fe erys atgof, ac fe erys hiraeth amdano. Aeth rhyw ddeunaw o hogiau'r Coleg i fyny bob cam i Edern i dalu'r gymwynas olaf i un a fu'n gefn ac yn gynhorthwy i do ar ôl to o fyfyrwyr coleg . . . Un atgof amdano: ei gofio'n croesi neuadd lawn yn Ysgol Botwnnog i ddymuno'n dda i mi ar ddechrau gwaith y weinidogaeth, ac wedi ysgwyd llaw yn ffyrnig-gynnes, meddai:

> Cei dy farnu, cei dy garu,
>   Cei dy wawdio lawer gwaith;
> Paid gofalu dim am hynny –
>   Cred yn Nuw a gwna dy waith.

Cefais achos i gofio'r ysgwyd llaw hwnnw am dridiau neu bedwar a chefais achos i gofio'r emyn am byth . . . Un felly oedd Tom Nefyn Williams – un

65. Wrth yr hysbysfwrdd. W. T. Watkin Jones, un o flaenoriaid Edern o gyfnod Tom Nefyn.

unigol ac un arbennig.' Wedi deugain mlynedd, a hyn o ymchwil, ni chefais achos i newid fy marn.

Ar fur capel Bethania, Pistyll, mae yna benddelw o Tom Nefyn mewn efydd ar lechen las – gwaith R. L. Gapper – yn prysur hagru yn y gwynt a'r niwl. 'Does gan y mil myrddiwn ymwelwyr sy'n unioni dros yr Eifl – *the Rivals*, chwedl rhai ohonyn nhw – a heibio i wal y capel, mo'r syniad lleiaf pwy oedd o nac unrhyw amgyffred chwaith o'r hyn olygodd ei fywyd o i'w ddilynwyr. (Fy mwriad innau wrth ddechrau ysgrifennu oedd darganfod 'pwy oedd Tom Nefyn?' Wedi cryn holi a stilio, fe gefais fod y cwestiwn hwnnw yn un amhosibl i'w ateb.) Ac enw ydi o bellach i'r genhedlaeth newydd o Gymry selog sy'n byw ar benrhyn Llŷn; amser sy'n dadfeilio popeth.

> Yma'n y llwch ym mhen Llŷn,
> Yma'n ofer? Tom Nefyn?

Nid yn ofer.

66. 'Yn prysur hagru yn y gwynt a'r niwl.'

HAWLFREINTIAU Y DARLUNIAU

Robin Griffith, 26 Parc y Coed, Creigiau, Caerdydd: 1, 7, 15, 16, 25, 26, 27, 34, 37, 38, 39, 42, 45, 46, 47, 48, 49, 52-53 (Hawlfraint *Y Cymro*), 58, 60, 63, 64, 65, 66.

Nefyn Goronwy Williams, Bryncyn, Lôn Terfyn, Morfa Nefyn: 3, 4, 5, 6, 8, 9, 10, 12, 14, 23, 29, 35 (tynnwyd gan Myrtle Studio, Llandysul), 56, 59, 61, 62.

Ann Vicery, 1 Buckley Mead, Yetminster, Sherborne, Dorset: 2.

Eunice Hughes, Rhos, Tudweiliog, Pwllheli: 11.

Mr a Mrs Harri Davies, 8 Penparc, Y Tymbl: 13, 19 (tynnwyd gan W. O. Thomas, Castell Nedd), 33.

Ieuan Davies, Bryncoed, 87 Heol Fictoria, Waenarlwydd, Abertawe: 17.

Bob Jones, Bryn Eglur, Y Tymbl: 18 (tynnwyd gan D. Rees a'i Fab, Cross Hands).

Adran Gwasanaethau Diwylliannol Cyngor Sir Caerfyrddin: 20, 21, 31, 32.

Gwasg Gomer, Llandysul: 22 (eiddo Orwig Owen, Glynhir, Heol Crosshands, Gorslas).

Llyfrgell Genedlaethol Cymru, Aberystwyth: 24, 54.

Elizabeth D. Owen, 70 Lôn Ceredigion, Pwllheli: 28.

Trwy law June Jones, Gwasg Pantycelyn, Caernarfon: 30.

Amgueddfa a Chymdeithas Hanes Porthcawl (trwy law Gwyn W. Petty, 27 Orchard Drive, Porthcawl): 36.

Gwilym Bellis, Nant, Rhydymwyn, Yr Wyddgrug: 40, 41.

Gwilym Morris Owen, 10 Firgrove Corner, Borras, Wrecsam: 43 (tynnwyd gan Algernon Smith, Wrecsam yn Ebrill 1937), 50 (tynnwyd gan Alwyn Morris Jones).

Thomas Ffrancon Williams drwy law Rhiannon Rowlands, 38 Talycae, Tregarth: 44.

Trwy law Alun Ogwen Jones, Tegfan, Coetmor, Bethesda: 51.

Bessie Gwilym Hughes, Pros Kairon, Ffordd Buddug, Caernarfon: 55 (y Cerdyn Post yn llawysgrif T.N.W., Mehefin 1949).

Robert W. Roberts, Hendre Bach, Rhosfawr, Y Ffôr: 57.